KB096392

조금 다른 두 교사 이야기(개정판)

조금 다른 두 교사 이야기(개정판)

발 행 | 2024년 03월 11일
저 자 | 정현수, 김현지
펴낸이 | 한건희
펴낸곳 | 주식회사 부크크
출판사등록 | 2014.07.15.(제2014-16호)
주 소 | 서울특별시 금천구 가산디지털1로 119 SK트윈타워 A동 305호
전 화 | 1670-8316
이메일 | info@bookk.co.kr

ISBN | 979-11-410-7578-1

www.bookk.co.kr

조금 다른
두 교사 이야기

정현수, 김현지 지음

차 례

첫 번째 | 사범대생의 시선

1부 | 국어교육과 학생

2부 | 독어교육과 학생

두 번째 | 현직 교사의 시선

3부 | 정교사

4부 | 기간제교사

첫 번째

사범대생의 시선

1부 | 국어교육과 학생

이과생이 국교과에 간 이유

"입시 끝나기만 해. 학교로는 절대로 안 돌아오지."

열네 시간 반. 고등학교 시절 하루 24시간 중 내가 의무적으로 학교에 머물러야 하는 시간은 무려 열네 시간 반이었다. 빡빡하게 짜인 시간표에 갇혀 해가 떠 있는 시간 전부를 형광등 불빛 아래서 소진하고 있던 나에게 학교란, 졸업만 하면 뒤도 돌아보지 않을 지긋지긋한 공간이었다. 당연히 전공을 고민하던 시기에도 학교와 관련된 과는 고려 대상이 아니었고, 졸업 후 어떤 진로를 선택하든 학교라는 좁은 우물과 전혀 상관없는 곳에서 훨훨 날 수 있을 거라고 기대했었다.

그땐 그랬다.

고3 8월. 원하던 과에 원서를 넣는 것조차 어렵다는 걸 깨닫고 현실과 타협할 무렵, 교차지원이라는 변수까지 껴안게 되면서 결국 나는 학교로 돌아오는 길을 선택했다. 초, 중, 고 12년 동안 단 한 번도 고려해보지 않은 국어교육과에 원서를 넣은 것은 탐탁지 않은 선택이긴 했으나 당시로서는 나름대로 신중한 선택이기도 했다.

학교 밖의 사회에 대한 경험이 거의 없던 그 시기의 나에게 교사란 가장 익숙하고 잘 아는 직업이었다. 12년 동안 학교에 다니면서 교사들이 일터에서 보내는 시간의 대부분을 지켜보았으므로, 그 직업의 세계에 대해 꽤 잘 알고 있다는 착각에 빠져 있기도 했다. 교사라는 직업이 내 성격과 적성에 부합하느냐 아니냐를 생각하기 전에, 내가 교사가 된다면 그럭저럭 잘 해낼 수 있으리라는 안일하고 근거 없는 자신감이 있었다. 더군다나 국어는 나를 가장 편안하게 해주는 과목이었다. 아무리 노력해도 매번 어렵게 느껴지던 수학이나 성적이 시소 타기를 하던 영어와 달리, 국어는 많은 시간을 할애하지 않고도 늘 만족스러운 성적을 냈기 때문이다.

이런저런 계산 끝에 국어교육과 진학을 결정하고, 얼마 간은 대학 생활에 대한 기대감보다는 원하던 학과에 진학하지 못했다는 실망감이 더 컸다. 그래도 전공 선택에 대한 후회는 없었다. 썩 만족스럽지 못한 선택일지라도 최소한 이 선택이 안정적인 미래는 가져다 줄 수 있을 거라는 확신이 있었다.

그러다 학기 시작 전 선배들을 만나는 자리에서 우연히 임용 티오를 본 후로 마음이 조급해지기 시작했다.

"언니, 이게 올해 티오예요? 스무 명도 안 되네요?"

"아, 그거 작년 티오야. 올해 건 아직 안 나왔지. 아마 올해는 작년보다 더 줄어들걸."

"여기서 더요?"

내가 사는 광역시의 티오는 15명이었다. 더 줄어들 거라는 말이 사실이라면 티오가 한 자릿수가 될지도 모른다는 생각에 마음이 급해졌다.

"이거 계속 줄어들까요?"

"글쎄. 나도 잘 모르는데 늘지는 않겠지. 교사를 더 뽑고 싶어도 애들이 줄어들잖아."

"보통 이 지역 응시자는 몇 명이나 돼요?"

"100명? 200명? 여기서 대학 다니는 애들에, 이 근처 도지역 애들, 재수생, N수생 다 볼 거니까."

"……."

"아이고, 우리 과 이런 거 모르고 들어왔구나? 나도 모르고 들어왔어. 국영수 중에 국어니까 많이 뽑을 줄 알았지."

3년을 준비하고 치른 수능을 망친지 세 달도 안 됐을 때였다. 4년도 채 남지 않은 첫 임용고시는 응시자가 100명이든 200명이든 최소 10등 안에는 들어야 합격하는 시험이었다. 수능은 망치더라도 내가 받은 점수를 가지고 다른 선택지를 고려할 수 있었지만 임용은 떨어지면 그걸로 끝이었다. 게다가 경쟁자가 누구든, 몇 명과 경쟁을 하든 무조건 열 손가락 안에 들어야 하는 치열한 시험이라면 떨어졌을 때 다른 진로를 고민할만한 여력이 남아 있을 것 같지도 않았다.

합격은 아무도 보장할 수 없고 떨어지면 다른 길이 안 보인다는 것. 이미 한 차례 실패를 경험하고 차선책으로 선택한 과에 자의 반 타의 반으로 들어 온 나에게는 막막하고 공포스러운 사실이었다. 지금이라면 아예 다른 진로를 고민해 볼 수도 있었겠지만 당시의 나는 이미 돌이킬 수 없는 결정이라고 생각했던 것 같다.

빨리 뭐든 준비하고 싶었지만 어디서부터 어떻게 시작해야 할지도 모르는 상태로 불안하고 막막하기만 했다.

이렇게 때아닌 조급함과 막막함을 가진 채 어느덧 3월을 맞이했다.

부록 1 | 유아교사, 초등교사, 중등교사

정쌤 : 저희는 중등교사여서 중등학교에서의 경험으로 글을 썼지만 교사는 유아교사, 초등교사, 중등교사로 나누어집니다.

김쌤 : 맞아요. 유아교사, 초등교사, 중등교사는 같은 교원지위법으로 보장받는 교사입니다.

정쌤 : 유아교사가 되기 위해서는 대학 또는 대학원에서 유아교육과를 진학한 다음에 유치원 2급 정교사 교원 자격증을 취득해야 합니다. 유아교육과는 대부분 사범대학 소속이지만, 사회과학대학이나 생활과학대학 등의 타 단과대학 소속으로 개설되어 있는 학교도 있습니다. 이러한 경우에는 유아교육과가 아니라 유아교육학과라고 표시하기도 합니다.

김쌤 : 초등학교 교사는 중학교와 고등학교를 아우르는 중등학교 교원과 다르게, 오직 초등학교 교사만

될 수 있습니다. 마찬가지로 초등교육과를 제외한 사범대학 출신의 교사 자격증 소지자도 초등학교 교사가 될 수 없습니다. 교육대학교의 학과는 모두 초등교육과입니다. 사범대학과는 다르게 초등교육과는 몇 학교 되지 않습니다.

정쌤 : 2023년 기준으로 한국교원대학교, 경인교육대학교, 공주교육대학교, 광주교육대학교, 대구교육대학교, 부산교육대학교, 서울교육대학교, 전주교육대학교, 진주교육대학교, 청주교육대학교, 춘천교육대학교 그리고 일반대학에 초등교육과가 설치되어있는 제주대학교, 이화여자대학교가 있습니다.

대학에 가면

내가 현장에서 만나는 아이들이 생각하는 대학은, 무한한 자유로움과 가능성의 상징이다. '학업에 대한 스트레스'를 처음 갖기 시작한 시점부터, '해야 하는' 일이 아닌, 순수하게 '하고 싶은' 모든 일에 대해 "그런 건 대학 가서 해."를 귀에 못이 박히게 들어 왔을 것이므로 어찌 보면 당연한 일이다. 일단 대학에만 들어가면 수능 전에 꾹 참아왔던 모든 일을 할 수 있을 것이다, 대학만 가면 여행도 가고, 운동도 배워 보고, 연애도 하고, 기회가 된다면 어학연수도 다녀와야지. 수능만 끝나면 늦잠도 마음껏 자고, 새벽 내내 영화도 보고, 좋아하는 가수 콘서트도 보러 가야겠다. 그런 생각들을 하며 애써 다시 책상에 앉아 문제집을 푼다. 그렇게 꼬박 3년, 6년, 12년을 견뎌내는 것이다.

나 역시 대학 생활에 대한 로망이 있었다. 대학을 떠올리며 느끼는 설렘의 기저에는 다른 무엇보다도 '경험의 확장'에 대한 기대감이 있었다. 지금껏 살아온 지역이 아닌 다른 지역으로 생활 반경을 넓히는 것, 용돈을 받아 생활하는 것이 아닌 적은 돈이라도 스스로 벌어서 생활을 꾸려나가는 것, 긴 방학 동안 낯선 지역으로 여행을 다니는 것, 새로운 취미를 찾는 것. 그리고 이 모든 것들을 통해 만나게 될 새로운 인간관계. 나는 이러한 '경험의 확장'이 내 시야를 넓히고, 나라는 사람의 색깔을 만들어 줄 것이라 기대했다.

더군다나 사범대 진학이 결정된 이후 스승이자 선배이자 미래의 동료인 선생님들께서는, 좋은 교사가 되려면 '경험의 확장'이 매우 중요하다고 입을 모아 조언하셨다. 현장에서 만나게 될 학생들은 나와 아주 비슷할 수도 있지만, 나라면 결코 하지 않을 행동을 서슴없이 하는 아이일 수도 있고, 때로는 내가 상상도 할 수 없는 사정을 가지고 있는 아이일 수도 있다고. 그렇게 각자 다른 모든 아이들을 100% 이해하는 건 불가능하지만, 적어도 같은 눈높이로 바라봐주는 교사가 되려면 최대한 많은 사람을 만나 보고, 많은 것들을 경험해 보라고. 이 진심 어린 조언들은 이제 막 대학 문턱에 선 내 기대감에 불을 지피기에 충분했다.

첫 과외

대학에 들어와 마주한 '경험의 확장'의 첫 시작은 아르바이트였다. 개강 후 2주쯤 지났을까. 수학교육과로 간 고등학교 동창에게서 전화가 왔다. 과 선배에게 소개받은 괜찮은 과외 자리가 있는데, 마침 그 학생이 국어 과외도 구하고 있으니 해보지 않겠냐는 제안이었다. 다른 사람에게 뭔가를 알려 준 경험이라고는 친구들에게 종종 수능특강 문제를 설명해 준 게 다였지만, 거절하기에는 너무 매력적인 제안이었다. 내가 고등학생을 가르친다니. 바로 몇 달 전까지만 해도 내가 바로 그 고등학생이었는데! 심지어 마음 먹고 알아봐도 구하기 힘들다는 국어 과외였다. 아직 제대로 학과 공부를 시작하진 않았지만 어쨌든 나는 국어교육과였으므로, 내 공부와 병행하면서 충분히 할 수 있을 거란 착각과 함께 일사천리로 그 주 주말에 학부모 면담을 잡았다.

그렇게 신나서 연락처를 넘겼었는데, 이상하게도 면담 약속 시간이 다가올수록 마음이 불편해졌다. 약속 장소는 과외를 받을 학생의 집 근처 카페였다. 이 지역에서 교육열이 가장 높기로 유명한 동네였다. 괜히 더 긴장이 됐다. 난생 처음 선생 입장으로 학부모를 만나는 자리였다. '호칭을 어떻게 해야 하지?' 같은 지극히 어리숙한 고민들을 하며 약속 장소로 향했다. 막상 마주하고 보니, 외적으로든 내적으로든 아무리 강단 있어 보이게 치장해도 속 알맹이는 학교에 다닌 지 2주밖에 안 된 대학 신입생에 불과하다는 것을 나도 상대방도 이미 알고 있다는 것을 깨달았다. 속인 것도 없이 뭔가를 들킨 기분이기는 했으나, 속을 터놓고 보니 이야기하기는 편했다.

원래 그 학생은 중학교 때부터 그 동네에서 꽤 유명한 전문 과외 강사에게 수업을 받았다고 했다. 과외 정원이 정해져 있어서 정원이 다 차면 수업을 받고 싶어도 못 받는 유명한 사람이란다.

"그런데 왜……."

"애가 한 선생님이랑 오래 하다 보니까 좀, 선생님을 너무 편하게 생각한다고 해야 되나. 아시죠? 너무 편하면 안 되는 거."

"수업이 루즈해질까봐 걱정하시는 건가요?"

"그렇죠. 애가 쉬고 싶어 하더라도 선생님이 좀 잡아주셔야 되는데, 서로 잘 알고 하니까 봐주고 넘어가고 그런 일이 좀 많이 생기더라구요. 그렇다고 우리 애가 막 안 하려고 하고 그런 애는 아닌데."

"아, 그래요?"

"그럼요. 시키는 건 또 다 해요. 아무튼, 그래서 과외를 좀 바꿔 볼까 고민하다가 아예 나이 차이가 많이 안 나는 선생님을 붙이면 애가 느끼기에도 좀 새롭고, 소통도 잘 될 테니까 더 낫지 않을까 해서요."

말은 그렇게 했으나 막상 나를 만나고 나니 더 긴가민가하는 눈치였다. 그러나 결과적으로 나는 그 학생을 맡게 됐다. 학부모 입장에서는, 어리숙한 나를 믿었다기보다는 새로운 선생님을 붙이는 게 분명히 더 나을 거라는 그녀 자신의 판단과 아들의 성실함을 더 믿었을 것이다. 그렇게 일주일 뒤 첫 수업을 하기로 결정했다.

면담을 하고 집으로 돌아오는 길에 서점에 들러 과외에 사용할 교재를 정할 때까지만 해도 의욕이 앞섰다. 그러나 생각보다 대학 생활이 엄청나게 여유 있지는 않았다. 필수 과목들이 모두 1교시로 배치된 덕에 고등학교 때처럼 매일 7시 반쯤 집을 나섰고, 과 생활에 익숙해져야 한다는 명목으로 날마다 과 행사며 동기 모임, 선배와의 약속이 빽빽했다. 모든 일정을 마치고 집에 돌아오면 9시를 넘기기 일쑤였다. 게다가 개강 3주차가 되니 전공 과목들은 서서히 과제를 내 주기 시작했다. 첫 과외 수업을 준비하는 데 충분할 거라 생각했던 일주일은 내 생활을 제대로 해내느라 눈 깜짝할 사이 지나가 버렸다. 결국 수업 준비는 과외 전날 밤 급하게 교재의 문제들을 풀어보는 정도로 끝냈다.

첫 수업은 현대 시 수업이었다. 국어에서도 특히 현대 문학 파트가 약하니 집중해서 다뤄달라던 학부모 부탁에 따른 선택이었다. 시중에 유통되는 교재 중 고2 수준에 맞게 나왔다는 교재를 선택한 뒤, 2시간 정도 수업할 수 있는 분량을 준비해 갔다.

약간의 떨림과 설렘을 가지고 만난 내 첫 학생은 상상보다 훨씬 더 무뚝뚝하고 시니컬했다. 처음 만나는 자리라서 대화를 좀 하다가 수업을 해보려고 했는데, 내가 어떤 말을 해도 “네.”, “아니요.”, “모르겠어요.” 셋 중 하나로 일관하는 모습에 기운이 쭉 빠졌다. 나는 그 아이가 너무나 궁금했지만, 그 아이는 나를 전혀 궁금해하지 않았다. 뿔테 안경 너머로 보이는 메마른 눈

동자가 "하나도 관심 없으니까 얼른 네 할 일만 하고 가세요."라고 말하는 것 같아서 약간 주눅 드는 기분마저 들었다.

결국 나는 대화를 포기하고 수업을 시작했다. 다짜고짜 첫 문제를 펴서 아이에게 들이밀었다.

"어머님 말씀으로는 현대 문학을 제일 어려워한다고 해서 현대 시로 준비했어. 괜찮지?"

"네."

"그럼 문제 한 번 풀어볼까? 첫 수업이니까 네가 먼저 문제를 풀면 내가 설명해줄게. 처음이니까 시간제한 없이 최대한 정확하게 푼다고 생각하고 천천히 풀어보자."

솔직히 나는 빨라도 15분은 걸릴 거라고 생각했다. 현대 문학이 '특히' 약하다는 아이에게 '정확하게', '천천히' 풀라고 말했으니까. 펜도 잡지 않고 잠시 눈으로 문제를 읽던 아이는 내 예상과 달리 5분도 안 돼서 한 세트를 다 풀어냈다.

"다 했어요."

"……생각보다 훨씬 빠른데? 답 한번 확인해볼까?"

"……."

"오, 다 맞았네. 너 엄청 잘하는구나."

당황한 내 칭찬에 쑥스러운 기색도 없이 아이가 말했다.

"아니요. 문제가 쉬웠어요."

"혹시 풀면서 헷갈리는 부분이나 잘 모르는데 넘어간 부분은 없었어?"

"네."

"설명 더 필요한 부분도 없고?"

"네."

"그러면 작품 해설만 하고 다음 문제로 넘어갈게."

지금이었다면 어떤 방식으로든 아이가 스스로 생각하고, 표현할 수 있게 기회를 주었겠지만 당시에는 그런 여유도 없었다. 혼자서 다다다다 설명을 끝내고 나니 지루해 죽겠다는 표정으로 잠자코 책을 들여다보는 아이가 보였다. 그 후로 내가 준비한 분량이 다 끝날 때까지 그런 식이었다.

준비된 분량이 모두 끝났지만 시간은 40분이나 남았다. 어떻게 해야 할지 고민하다가 아이에게 물었다.

"내가 듣기로는 현대 문학을 많이 어려워한다고 했는데 생각보다 너무 잘해서 깜짝 놀랐어."

"……솔직히 문제가 쉽기도 했고, 오늘 한 거 다 배운 거예요."

"학교에서?"

"학교에서 했는지 과외할 때 했는지는 기억이 안 나요."

다른 과목은 다 괜찮은데 국어가 유독 떨어져서 고민이라던 아이는 알고 보니 2등급이었다. 간간이 1등급이 나오기도 하지만 현대 문학에서 '실수'를 많이 해서 2등급이 될 때가 많다고 했다. '현대 문학이 너무 약해서 매번 국어 성적이 낮다'는 어머님 말을 그대로 믿은 내 실수였다.. 결국 학생과 학부모가 나에게 바라는 것은 93, 94점을 어떻게 100점으로 만들 수 있는지 알려달라는 거였다. 당시의 나에게는 너무 어려운 과제였다.

잦은 실수에는 반드시 이유가 있다. 특정 영역에서 반복적인 실수가 나온다면 해당 영역의 기본기가 부족한 채 감으로 푸는 학생일 가능성이 높으므로, 개별 작품들 위주로 가르치기보다는 그 영역의 핵심 개념을 먼저 알려주고 예제를 통해 개념을 반복적으로 적용해 볼 수 있도록 가르치는 것이 효과적이다. 반면 '특정 영역'이랄 것 없이 이 영역 저 영역 번갈아 가며 실수를 반복하는 경우도 있다. 이런 경우에는 문제 푸는 방식이나 심리적인 요인이 원인일 수 있으므로, 문제 푸는 과정을 관찰하면서 비효율적인 부분을 수정하고, 자신 없어 하는 부분에 성공 경험을 쌓아줌으로써 안정적으로 학습을 이어갈 수 있게 도울 수 있다.

개별 학생들을 만나 특성을 파악하고, 이런 원론적인 개념들을 적용할 수 있게 된 것은 첫 번째 학생 이후 수많은 학생들을 거친 뒤에나 가능했던 일이다. 당시 나는 방법도 모른 채 부끄럽게도 '다음 수업에는 더 어려운 문제를 준비해 오겠다'는 말이나 해댔고, 당연한 수순으로 얼마 안 가 과외를 그만두게 되었다.

한 달 반 남짓의 매우 짧은 기간이었으나 의미 없는 경험은 아니었다. 미숙한 선생을 감당해야 했던 그 학생에게는 몹시 미안한 시간이었지만, 조금이라도 나은 무언가를 주기 위해 나름대로 아등바등하는 동안 전공서에서는 찾을 수 없는 실체적 반응을 볼 수 있었다. 교수님이 들려주는 이상적이고 정형화된 반응과는 다른 거였다. 무엇보다 학습자로서의 나 자신과도 전혀 달랐다. 예측할 수 없는 날것 그대로의 그 반응들을 마주하고, 그에 따라 내 수업을 고민하고 변화시키는 것 자체가 큰 경험이었다.

이후 과외와 학원 강의를 오가면서 다양한 상황의 다양한 학생들을 만날 수 있었다. 영어가 세상에서 제일 싫다는 초등학교 5학년 아이부터 경찰대에 꼭 합격할 거라는 전교 1등 고3까지, 나이대도 성향도 모두 다른 아이들이었다. 운 좋게 국어 과외를 잡았던 처음과 달리 맡은 과목도 국영수를 왔다갔다 했다. 학과 공부와 병행하는 것이 힘들어서 그만두고 싶을 때도 있었지만 첫 과외 이후 교직에 들어오기 전까지 쉬지 않고 계속 일을 했다.

이 모든 경험이 쌓이고 쌓여 나의 자산이 되었다는 것은 시간이 조금 흐른 뒤, 본격적으로 임용 공부를 시작할 때쯤 깨닫게 되었다.

두 갈래 길

사범대생의 진로는 두 갈래로 나뉜다. 교직으로 가는 길, 교직이 아닌 길. 전자는 인턴 경력, 어학연수 경험, 공모전 수상, 자격증, 어학 시험 등 '스펙'이라고 칭하는 모든 것들에서 자유를 얻고 자소서와 입사 지원서를 쓰지 않아도 되는 호사를 누리는 대신, 임용시험이라는 산을 넘어야 한다. 후자는 교직과 전혀 관련이 없다는 점에서 임용 공부는 하지 않아도 되지만, 자신이 원하는 진로 분야의 전공생들과 경쟁하며 학과의 정보와 지원 없이 오롯이 혼자 힘으로 스펙을 채워 넣어야 한다. 당연한 말이겠지만 후자의 경우, 사범대 전공으로 얻을 수 있는 이점은 0에 수렴한다. 사범대생의 입장에서 선택한다면, 어떤 진로를 고르겠는가?

사범대생이었던 내가 이 질문을 들었다면 이렇게 답했을 것이다.

"당연히 교직이지. 심플하잖아. 임용시험 하나만 합격하면 되고. 다른 과 애들이 전공 자격증 따고, 인턴 경력 쌓고, 자소서 200편씩 써도 하늘의 별따기만큼 어렵다는 게 취업인데, 토익 점수도 없는 우리가 취업?

말도 안 되지. 전공 공부는 해 놓은 게 있지만 이제 와서 다른 거 하려면 처음부터 시작해야 하는데, 너무 돌아가는 길 아니야?"

당시 내가 그랬던 것처럼, 누가 봐도 사범대생 입장에서는 전자가 '심플'하고 편리한 선택일 것이다. 교사가 되려고 사범대에 진학한 시점부터, 당연한 선택이기도 했다. 공·사립을 떠나서 교직을 생각하는 사람이라면 임용시험은 반드시 한 번은 거쳐야 하는 관문이었고, 처음 사범대를 생각했을 때부터 주어진 길이라고 생각했다. 더 솔직하게 고백하자면 전공과 전혀 상관없는 '교직이 아닌 길'을 선택했을 때의 막막함을 견뎌 낼 용기가 없었다.

다만 입학 전 오리엔테이션에서부터 임용시험은 응시자에 비해 티오가 매우 적으며, 심지어 매년 티오가 줄어들고 있고, '교직으로 가는 길'을 선택한 선배들 중 대부분이 졸업 후에도 임용을 준비하며 학교 주변을 맴돌고 있음을 알고는 있었다. 그러나 이런 사실에는 눈을 감았다. 암울한 사실보다는 좋은 면을 보려고 했다. 탈락자가 훨씬 많은 시험이지만 누군가는 반드시 합격하는 시험이고, 수치만으로 비교했을 때 사기업 취업보다 경쟁률도 적은 편이었으며, 초수 합격하는 경우도 있다는 것. 빨리 합격하려면 뭐든 남들보다 더 빨리, 많이 해야겠지만 불가능한 일은 아닐 거라고 자기 최면을 걸었다.

결과만 놓고 보면 그리 나쁜 선택은 아니었다. 초수 합격은 아니었으나 다행스럽게도 임용에 매여 있는 시간은 그리 길지 않았고, 원하던 대로 교직에 들어오게 됐다. 그러나 불합격과 합격을 모두 경험하고, 임용 후의 교직 생활까지 겪어 본 지금 시점에서, 선택의 기회가 있었던 과거의 나 자신을 만난다면 조금 더 깊게, 신중하게 고민해보라고 말해 주고 싶다.

지금 내 상황에 대한 불만족에서 기인한 배부른 소리는 절대로 아니다. 스스로 원하고, 노력해서 들어온 만큼 나는 내 직업에 애정을 가지고 있고, 꽤 만족을 느끼고 있다. 하지만 이러한 '애정'과 '만족'은 교직에 들어온 후 나름대로의 의미를 찾은 것이지, 막 임용시험을 준비하려던 내가 가지고 있던 것은 아니었다. 당시의 내가 임용에 뛰어든 이유는 '사범대생이라면 교직에 들어가야 하니까. 그게 가장 편하고 안정적이니까.

다른 진로를 선택하면 처음부터 다시 시작해야 하니까. 그게 너무 막막하고 무서우니까.' 정도의 이유였다.

내가 애써 무시하려고 했던 임용시험의 암울한 단면은, 첫 번째 시험의 불합격과 함께 대학을 졸업하고 '소속이 없는 사람'이 되었을 때부터 현실이 되었다. 사실 임용시험은 일반적인 공무원 시험이나 다를 바 없다. 응시자 대부분은 불합격 통지를 받고, 불합격을 하게 되면 시험에 매달려 노력한 간절한 시간들은 '경력도 스펙도 없이 나이만 먹은' 시간이 되어 발목을 잡으며, 심기일전하여 다시 도전한 시험에서 합격하면 다행이지만, 또 불합격을 한다면 소진한 시간은 고스란히 기회비용이 되어 다른 돌파구를 찾는 것조차 어렵게 만든다. 공무원 시험과 달리 기회는 1년에 한 번뿐이며, 서술형 100%인 시험에 채점 기준도, 모범 답안도 공개되지 않아 무슨 문제를 틀렸는지조차 알 수 없다는 리스크는 덤이다.

졸업 전 풍문처럼 막연하게 들렸던 경고는 졸업 후 곧장 내 이야기가 되었다. 애써 마음을 잡고 있었지만 '이번에도 떨어지면 뭘 해야 되지?'라는 말이 하루에도 열두 번씩 떠올랐다 사라졌다. 학원에서 파트타임 강사로 일하고 있었기 때문에 부모님께 손 벌리지 않고 시험 준비에 필요한 비용을 마련할 수 있었지만, 올해 또 떨어지면 내년에도 이렇게 살 수 있을까, 하는 생각에 자다가 책상 앞에 앉은 적도 셀 수 없이 많았다. 나름대로 방향을 잡고 계획을 세우고 내가 할 수 있는 모든 방법을 동원해서 시험공부를 했지만, '처음 잡은 공부 방향부터 잘못된 거면 어떡하지?' 하는 불안한 의문이 계속 남았다. 막연함과 자기 의심이 집중력을 흐리면 불안과 조급함이 채찍질을 하는 식이었다. 괴로운 시간이었다.

수험생활을 겪으며 느낀 점은, '교직으로 가는 길'이 당연한 선택이어서는 안 된다는 것이었다. '사범대 왔으니까 임용 봐야지.'라는 생각은 편리한 선택이 아니라 성급한 선택이었다. 교육을 전공했으니 교직으로 가는 길을 선택하는 것이 좀 더 유리할 것이라는 생각 또한 당장 눈앞에 보이는 가능성만 고려한 것이었다. 임용은 교직으로 가기 위해 넘어야 할 산이 아니라, 교사가 되고 싶은 '너무 많은' 지원자들 사이에서 필요한 소수만 걸러내기 위한 체였다.

임용을 볼지, 일찌감치 다른 진로를 찾을지 잠시나마

고민하던 그 시기에 이 모든 것들에 대해 더 깊이 생각했다면 선택이 달라졌을지도 모르겠다. 다른 선택이 반드시 더 나은 삶을 보장한다는 것은 아니지만, 마냥 막연하고 불리하다고만 생각했던 '교직이 아닌 길'이 사실 더 많은 기회와 가능성이었을 수도 있음을 이제는 안다. 너무 많은 시간과 기회를 임용에 쏟아부은 후에야 '교직이 아닌 길'로 돌아가 다시금 불안과 막연함에 직면할 수밖에 없었던 사람들을 많이 보았다.

생각보다 사범대 재학 중에 '교직이 아닌 길'을 선택하는 경우도 많다. 과에 따라서는 1학년 때부터 학과의 절반 이상이 아예 다른 진로를 찾는 경우도 있다. 국어교육과에서도 다른 진로를 선택하는 경우가 종종 있었다. 임용 대신 LEET를 준비해서 로스쿨에 들어간 선배도 있고, 언론사에 입사해 기자 활동을 하는 선배도 있었다. 전공을 살려 논술 학원을 개업한 경우도 있고, 전공과 전혀 상관없는 기사 자격증을 따서 IT업계로 간 친구도 있다. 전공 안에서 생각하다 보면 시야가 좁아지지만, 아예 벗어나서 보면 다른 가능성이 보일 수도 있다.

다른 진로를 생각하고 있는 사람들은 저 이야기들이

궁금하겠지만, 내가 가지 않은 길에 대해 왈가왈부할 수는 없다. 누군가에게 들은 이야기, 풍문으로 떠도는 이야기가 아닌 나만 할 수 있는 이야기를 하려면, 결국 임용과 교직에 대해 말할 수밖에 없다. 어떤 이유에서였든 나는 '교직으로 가는 길'을 선택했기 때문이다.

교사가 꿈이거나, 사범대 진학을 고민하고 있거나, 이미 사범대에 들어와 진로를 선택하려는 시기에 있다면, 임용에 뛰어든다는 것이 어떤 기회비용을 감내해야 하는 것인지, 그것을 감당하면서까지 정말로 교사가 되고 싶은 건지, 그만큼의 시간과 노력을 투자해서 교직에 들어온 후에는, 그곳에서 어떤 의미를 찾고 싶은 건지 진지하게 고민해보는 시간을 가졌으면 좋겠다. 고민 끝에 다른 진로를 찾기로 했다면, 전공으로부터 얻는 이점이 없더라도 결코 너무 늦거나 돌아가는 선택이 아님을, 오히려 그 선택이 가장 빨리 가는 길일 수도 있음을 생각하고 자신의 선택에 대한 확신을 가졌으면 좋겠다. 반대로 깊게 생각한 끝에 교직에 대한 확신을 얻었다면, 훨씬 더 단단한 마음으로 해야 하는 일에 집중할 수 있을 것이다.

나는 조급함과 불안에 떠밀려 임용에 뛰어들었지만, 그렇게 뛰어든 수험생활에서도 얻는 것은 있었다. 시험을 준비하고, 경험한 6년 동안 교직관도, 시험에서 얻고 싶은 것도 조금씩 달라졌지만 절박한 노력의 시간에서 얻은 성공과 실패의 경험은 차곡차곡 쌓여 고스란히 남았다. 이 경험들이 누군가에게는 공감과 위로가 되기를 바란다.

부록 2 | 정교사와 기간제교사, 어떤 점이 다른가요?

정쌤: 사실 둘 다 경험해 보지 못한 영역이잖아요. 김쌤은 정교사만 했고, 저는 기간제교사만 해서 모든 교사의 입장을 대변하기는 어려울 것 같아요. 절대적인 건 아니지만 우리 경험을 바탕으로 이야기 해 볼까요? 우선, 공통점이라고 하면 둘 다 교원 자격증을 가지고 학교 현장에서 일하는 교사들이죠. 가장 큰 차이는, 정교사는 국가에서 주관한 임용시험에 합격해서 인사 발령을 받고, 기간제 교사는 교육청이나 학교 자체 채용을 통해 선발돼서 계약기간이 명시되어 있다는 점일 것 같아요.

김쌤: 네. 사실 학교 현장에서 경험해 본 바로는 업무적인 측면에서는 큰 차이가 없는 것 같아요.

정쌤: 네, 그렇죠. 정교사와 기간제교사 모두 수업을 하고, 행정 업무도 하고, 생활지도도 맡으니까요. 또한 기간제교사의 인사 및 복무가 교육공무원에 준하기 때문에 근무 시간이나 법정 연수 등도 정

교사와 동일하게 적용됩니다. 2019년부터는 1급 정교사 자격 연수도 정교사와 기간제교사 모두 동일하게 취득할 수 있게 되었죠.

Q. 그렇다면 기간제교사는 왜 생기는 건가요?

김쌤: 학교에서는 학급 수, 교육과정 편제에 따라 과목별로 필요한 교원 수가 정해지는데요. 정교사가 출산휴가나 병가, 파견 등의 이유로 자리를 비우는 경우 기간제 채용공고를 냅니다. 이때는 휴직 기간에 따라 채용 기간이 정해집니다. 또 학교에서 필요로 하는 교사 수에 비해 재직 중인 교사 수가 부족한 경우에도 기간제 채용공고를 냅니다. 이런 경우는 흔히 미발령이라고 부르죠. 1학기가 시작되기 전인 2월 인사 발령 시기에 휴직자나 미발령 자리를 파악하기 때문에 대부분의 학교들이 2월에 채용공고를 올리게 됩니다.

정쌤: 대부분 2월에 공고를 올리지만, 학기 중에 갑자기 휴직자가 생기는 경우에도 기간제교사를 채용하게 되죠.

김쌤: 맞아요. 짜여진 시간표대로 수업이 운영되기 때문에 하루만 자리를 비워도 그 시간에 공백이 생깁니다. 학기 중에 원칙적으로 연가 사용이 금지되어 있는 것도 그런 이유죠. 피치 못할 사정으로 하루이틀 자리를 비우는 경우, 교체나 보강으로 어느 정도 대체가 가능하지만, 일주일 이상이 되면 학교가 많이 힘들어져요. 그래서 휴직 기간이 길어지는 경우 기간제교사가 꼭 필요합니다.

그래서 임용이란?

중등 임용. 이 글을 읽는 사람 중에서는 '그래서 임용이 도대체 뭔데?'라고 묻고 싶은 사람들도 있을 것이다. 사범대생이 중등교사가 되는 데에는 두 가지 방법이 있다. 공립 임용시험에 합격하여 공립학교에 발령을 받거나, 사립 임용시험에 합격하여 사립 재단의 일원이 되는 것이다. 예전에는 사립학교 기간제 교원으로 교사 생활을 오래 하면—오래 버티면— 사립 정교사가 될 수도 있었지만, 요즘에는 거의 모든 사립학교가 교육청 위탁 임용시험을 통해 정교사를 선발한다.

중등 임용에 응시하려면 두 가지가 필요하다. 3급 이상의 한국사능력검정과 교원자격증이다. 교원자격증의 경우, 응시할 과목의 교원자격증을 소지하고 있거나, 차년도 2월 기준으로 교원자격증을 취득할 예정인 자여야 한다. 따라서 사범대 재학생이더라도 해당 학기에 졸업 예정인 경우에만 임용에 응시할 수 있다. 대부분의 사범대생들이 4학년이 되어서야 본격적으로 임용을 준비하는 이유이기도 하다. 발 빠르게 1학년 때부터 임용을 준비하더라도 4학년 2학기가 되기 전에는 시험에 응시조차 할 수 없기 때문이다.

임용시험은 1차와 2차로 나누어진다. 1차는 교육학과 전공 분야에 대한 필기시험이다. 60분 동안 진행되는 1교시 교육학 시험은 논술형으로, 20점 배점의 한 문제로 구성된다. 전공에 비해 배점도 적은 편이고 문제도 한 문제뿐이지만, 준비하는 입장에서는 그렇게 간단하지 않다. 임용 문제를 출제하는 한국교육과정평가원에 따르면, 1교시 교육학에 해당하는 출제 범위만 해도 '교육학개론, 교육철학 및 교육사, 교육과정, 교육평가, 교육방법 및 교육공학, 교육심리, 교육사회, 교육행정 및 교육경영, 생활지도 및 상담'까지 각론의 내용들을 모두 포함하고 있다. 물론 출제 범위에 해당하는 과목들은 교원자격증을 취득하기 위해 필수로 이수해야 하는 교직 이론 과목들이기 때문에 학부 시절 대학 강의를 통해 공부하긴 하지만, 방대한 범위 중 어느 부분이 출제될지 모르는 상황에서 논술형으로 써낼 수 있을 만큼의 지식을 갖추려면 당연히 많은 시간을 투자해야 한다.

2,3교시 전공은 각각 90분씩 실시되며, 총 80점 배점이다. 문제 유형은 기입형과 서술형으로 나뉜다. 교

육학과 달리 응시 교과에 따라 시험 내용이 달라지는데, 교과내용학과 교과교육학이 7:3 정도의 비율로 출제된다. 국어를 예로 들어 설명하자면, 교과내용학은 국어 문법, 문학 이론 등과 같이 교과에서 가르칠 '내용'을 의미하는 것이고, 교과교육학은 이러한 내용들을 '어떻게' 가르칠지에 관한 것이다. 국어교육에서 주로 사용되는 교수학습 모형이나 평가론 등이 이에 해당한다. 국가고사이므로 국가에 의해 고시된 교육과정 내용 역시 교과교육학에 포함된다. 현재 학교에서 적용되고 있지 않은 교육과정이더라도 고시된 것이라면 출제 범위에 포함되므로 살펴봐야 한다.

11월의 마지막 토요일에 치러지는 1차 시험이 끝나고 12월 말쯤이 되면 1차 합격자가 발표된다. 임용은 상대평가이므로, 1차 합격을 했다는 것은 1차 시험 결과로 줄 세우기를 했을 때 최종 선발인원의 1.5배에 해당하는 등수 안에 들었다는 것을 의미한다. 내가 응시한 시도의 최종 선발인원이 20명이고, 응시 인원이 450명이라면, 450명 중 30등 안에 들어야 2차 시험을 치를 수 있다. 1차 합격자만을 대상으로 진행하는 2차 시험은 시도별, 과목별로 상이하다. 대부분 수업실연,

심층면접으로 구성되지만 과목에 따라서는 실기시험을 치르는 경우도 있고, 수업나눔이 포함되는 지역도 있다.

1월 중순 이후에 치러지는 2차 시험이 끝나면 최종 합격 발표까지 2주 정도 시간이 걸린다. 모든 게 다 끝나서 더 할 수 있는 것도 없는데 갑작스레 찾아온 여유를 즐길 수도 없는 애매한 시간이다. 미뤄왔던 약속도 잡고 보고 싶었던 영화도 보지만 마음이 자꾸 2차 시험장으로 간다. 곱씹어 봤자 기분만 나빠지는 실수를 계속 곱씹고, 문득 다시 불안해져서 플랜B를 짜다 보면 유난히 더딘 2주가 지나간다. 그리고 2월 초중순쯤 최종 결과가 발표된다. 1, 2차 점수 합계로 다시 줄 세우기를 해서 1등부터 최종 선발인원에 해당하는 등수까지만 최종 합격의 기쁨을 누릴 수 있다.

간발의 차로 불합격을 하면 이 모든 과정을 다시 겪어야 한다. 올해 임용에서 1차 합격을 했더라도 2차에서 최종 불합격이라면, 1차 합격은 아무 의미가 없다. 다음 시험은 다시 처음부터 경쟁해야 한다. 나는 이 과정을 3번 겪었다.

임용 스터디 절망편

"선생님, 대학 가면 어때요? 선생님 대학생 때 썰 같은 거 없어요?"

수업을 시작한 지 30분이 넘어가자 교실 한구석에서 툭 튀어나온 질문이다. 어떻게든 화제를 돌려서 수업을 끝내고 싶은가 보다.

지금이야 수업이 지루해질 때 잠시 쉬어가기 위해서 아이들이 가끔 쓰는 방법이지만, 몇 년 전 신규교사였을 때는 지금보다 더 많이 들었던 질문이고, 실제로 대학에 다니면서 학원 강사를 하던 때에는 훨씬 더 많이 들었던 질문이다. 하지만 처음 이 질문을 받았을 때, 나는 좀 당황스러웠다. 질문한 학생을 실망시키고 싶지 않아서 '대학생활'하면 흔히 떠올리는 재밌거나 설레거나 멋진 이야기를 들려주려고 했는데 조금도 생각나지 않았기 때문이다.

대학에만 들어가면 이제껏 해보지 못한 다채로운 경험들을 하면서 내 세계를 알록달록 칠해갈 거라던 포부와 달리, 내 대학생활은 단조롭기 그지 없었다. 알바와 임용 스터디. 이 두 가지가 대학 생활 4년을 꽉 채우고 있었다. 특히 임용 스터디는, 지금도 대학 생활을 떠올리면 사범대의 꽃이라는 교생 실습보다도 임용 스터디가 먼저 떠오를 만큼 소중하고 지독한 모임이었다.

임용을 준비하는 대부분의 사범대생들은 빠르면 3학년, 대부분 4학년 때부터 임용 공부를 시작한다. 그 과정에서 공부 성향과 개인의 필요에 따라 스터디를 조직하기도 한다. 스터디를 만드는 이유는 각양각색이다. 같은 강사의 인강을 듣는 사람들끼리 강의 수강, 복습 등에 강제성을 조금 더 부여하고 싶어서 스터디를 하는 경우도 있고, 모의고사 시즌에 서로 첨삭을 해주며 답안의 퀄리티를 높이기 위해 스터디를 하는 경우도 있다. 필요에 의해 조직되는 경우가 대부분이기 때문에 서로 모르는 사이인 경우도 많고, 몇 번 모임을 이어가다 서로 성향이 맞지 않으면 모임을 깨고 다른 대안을 찾기도 한다. 일반적인 경우, 임용 스터디는 임용 공부에 있어 선택사항 정도다.

하지만 나의 경우, 임용 스터디가 합격의 9할은 차지한다고 해도 과언이 아닐 만큼 특별한 의미가 있었다.

처음 스터디를 조직한 것은 1학년 때였다. 첫 학기가

시작한 지 한 달도 안 됐을 시점이었던 것 같다. 입학 전 임용 티오 이야기를 듣고 적잖이 충격을 받은 후 빨리 뭐든 해야겠다는 조급함은 있었지만 다짜고짜 혼자 준비하기는 쉽지 않았다. 임용도 수능처럼 1학년 때부터 체계적인 안내에 따라 차곡차곡 준비하는 것인 줄 알았지만, 대학은 고등학교가 아니었다. 교수님들께 학문적인 도움은 구할 수 있었지만, 임용은 학문이 아니었기 때문이다. 선배들에게서 답을 구할 수도 없었다. 2, 3학년 선배들은 과생활에 대해 많은 조언을 해주었지만 임용에 대해서는 그들도 나처럼 막연하고 막막한 상황이었고, 임용 준비에 뛰어든 4학년들은 마주치기도 쉽지 않았다.

그러던 중 지도교수님이 신입생들을 모아 놓고 이야기하는 자리를 마련하셨다. 처음으로 임용에 대한 안내를 들은 자리였다. 티오에 대한 괴담만 나돌 뿐 도대체 임용이 어떤 시험인지 실체를 모르던 나에게는 꽤 유용한 시간이었다. 출제 범위조차 감을 못 잡는 신입생들을 위해 전공 시험 출제 과목부터 차근차근 설명해 주셨는데, 국어 전공의 세부 과목은 모두 10개였다. 크게 나누면 기능교육, 국어 문법, 문학 분야로 나누어지는데, 기능교육에 화법교육론, 독서교육론, 작문교육론이 있고, 국어 문법에 음운론, 형태·통사론, 국어사가 있었다. 문학은 고전 운문, 고전 산문, 현대 운문, 현대 산문으로 분류되었다. 물론 이후에 실제로 임용 준비를 하면서 이 범위가 전부가 아니라는 것을 깨닫게 됐지만 처음 시작하는 입장에서는 체계가 잡히는 느낌이었다. 시험에 대한 대략적인 설명을 하신 뒤, 이미 조급함을 느끼고 있던 나 같은 사람이 듣기에는 겁먹기 딱 좋은 어조로 이렇게 말씀하셨다.

"임용 준비는 지금부터 해야 합니다. 4학년 돼서 시작? 그건 이미 늦어요. 안일한 거예요. 학과 공부를 하면서 어떻게 임용까지 준비하냐고 하는 학생들이 있는데, 임용 공부는 학과 공부랑 같이 가야 합니다. 스터디를 만들어서 같이 공부하세요. 마냥 즐기면서 학교 다니면 졸업 후에 아주 힘들어집니다."

그리고 당장 그 자리에서 스터디를 모으라는 말에 마음 가는 대로 4~5명씩 모둠을 만들었다. 시키는 대로 하긴 했지만 다들 떨떠름한 반응이었다. 이미 4학년이 된 후에 임용 준비를 시작한 선배들이 있는데, 그들을 비난하는 듯해서 반감을 가진 동기들도 있었고, 암울한 사실을 굳이 짚어주면서 압박하는 말에 거부감이 든다는 사람도 있었다. 어쨌든 첫 스터디는 목적의식도, 자발성도 없이 팀플 조를 정하듯 얼렁뚱땅 만들어졌다.

모두의 처음이 그렇듯, 아무리 합격에 큰 공헌을 한 스터디라도 시작은 엉망진창이었다. 일단 팀을 만들었으니 뭐라도 해보자는 생각으로 처음 함께 시작했던 공부는 현대 소설이었다. 전공 분야에 대한 지식이 거의 없었던 당시의 수준을 고려할 때, 문법이나 기능교육론에 비해 문학, 그중에서도 현대 소설은 그나마 익숙한 분야였기에 접근이 쉽다는 장점이 있었고, 현대 문학은 범위가 매우 방대하기 때문에 다른 분야에 비해 시간을 오래 들이는 것이 좋다는 판단이 들었기 때문이었다.

학습 주제에 대해서는 비교적 쉽게 의견이 모였지만, 학습 방법을 결정하는 것은 어려운 문제였다. 그때까지 우리가 경험한 '학습'이란 오직 시험공부뿐이었다. 누군가가 조직해 준 자료로 개념을 공부하고, 그 개념을 수능 유형의 문제로 만들어 놓은 것을 풀고 또 푸는 것이 학습인 줄 알았던 시기였기 때문에 정제된 자료도, 문제도 없이 어떤 방식으로 학습을 해야 하는 건지 막막하기만 했다. 게다가 굳이 '함께' 공부해야 하는 이유도 납득하지 못했다. 혼자 하는 공부에만 익숙해져 있는데, 스터디를 위해 모이는 시간을 낭비하지 않으려면 함께 하는 공부를 의미 있게 만드는 방법을 찾아야 했다. 결국 우리가 선택한 방법은 전공서 하나를 선택해서 함께 읽고 이야기를 나누는 것이었다. 당시 우리가 선택한 전공서는 《한국 현대소설의 이해》(권영민, 2006)였는데, 스터디 방식은 다음과 같았다.

먼저 주 2회 스터디 일정에 맞게 범위를 나눴다. 책의 목차 상 문학 이론이 30페이지 내외로 나온 뒤 소설 작품이 한 편씩 붙어 있었으므로 하루는 문학 이론, 하루는 소설 작품을 읽는 것으로 했다. 단, 소설을 읽는 날에는 무조건 전문을 다 읽고 와야 했다. 책에 전문이 다 실려 있지 않다면 도서관에서 찾아서라도 읽고 오는 것이 원칙이었다.

읽기만 하고 그냥 모임에 나오면 영양가 있는 대화를 하기가 힘들기 때문에 발제자를 한 명씩 정했다. 발제자는 한 명씩 순서대로 돌아가는데, 다음 모임 범위의 내용과 관련하여 책에 나와 있지 않은 다른 자료를 찾아와야 했다. 가령 이번에 읽을 작품이 김동인의 《배따라기》라면, 발제자는 작품이나 작가와 관련된 논문을 몇 편 찾아 정리해 오는 식이었다. 모임 날에는 발제자가 준비한 자료를 복사해 나눠주고 발표하듯이 간단히 설명해주었다. 다른 스터디원들이 할 일은 자료를 보며 함께 이야기하고 싶은 지점을 찾아 질문을 하는 것이었다. 질문이 나오면 서로 의견을 내거나 추가 자료를 찾으면서 대화를 나누는 식이었다.

보기에 그럴듯해 보이는 방식이지만 결과적으로는 대실패였다. 당시 우리가 듣고 있던 전공 과목에서는 사용하지 않는 교재였으므로(이후 2학년 전공 강의에서 사용되었다.), 따로 시간을 들여 공부해야 했고, 발제라도 맡는 날에는 다른 자료들을 긁어모으느라 없는 과제를 만들어서 하는 기분이었는데, 문제는 들인 시간과 노력만큼 얻는 것이 없었다. 많은 시간을 들여 찾아온 자료가 공신력 있는 자료인지 확신할 수 없었기 때문이다. 논문의 바다는 넓고, 똑같은 문학 이론, 문학 작품에 대해서도 엄청나게 다양한 의견들이 존재했는데, 그중에 무엇을 기준으로 삼고 공부해야 할지 판단하기가 어려웠다. 교수님께 자문을 구했더니 '해당 분야의 권위자 논문을 우선으로 보아라.'라는 답을 주셨는데, 누가 권위자고 누가 권위자가 아닌지도 구분이 안 되는 수준에서는 더 알쏭달쏭해지기만 했다.

문제는 또 있었다. 발제 자료를 보고 아무리 좋은 질문을 만들어도 결론이 나지 않았다. 모두 비슷한 수준이었기 때문에 우리가 생각하고 있는 방향이 맞는지, 논리적이지 않거나 간과하고 있는 부분이 없는지 짚어 줄 수 있는 사람이 없었다. 가면 갈수록 '이건 여기서 결론이 안 날 것 같아. 나중에 더 찾아보고 이야기하자.'하는 식의 찝찝한 마무리만 반복됐다.

무엇을 위한 스터디인지도 모를 만큼 난장판이었지만, 봉사 문고리 잡기로 얻은 것은 있었다. 적어도 책에 나오는 작품들, 더 이야기해 보고 싶어서 추가로 선정한 작품들만큼은 전문을 모두 읽었다는 것이다. 큰 소득은 없었으나 시간을 들여 발제 자료를 찾고 치열하게 이야기를 나눴던 만큼 읽었던 작품들은 잊어버리지 않게 되었다. 본격적으로 임용에 뛰어드는 3, 4학년 때 시작했다면 전문을 읽을 시간도, 치열하게 대화하고 고민할 시간도 없었을 것이다.

또한 자료를 보고 질문할 거리를 찾는 것도 나름대

로 도움이 되었다. 처음에는 질문을 만들어 내기 급급해서 자료 내용 중에 잘 모르는 것, 또는 모를만한 것, 낯선 것, 이해가 안 되는 것들을 찾기 바빴다. 이런 질문을 통해서 미세하게 지식의 범위를 확장시킬 수는 있었으나, 그 이상의 생각의 발전이 일어나지는 못했다. 스터디가 지속됨에 따라 이런 수준의 질문으로는 밋밋하고 납작한 의미 공유만 반복된다는 사실을 점차 깨닫고 여러 가지 시도를 하게 됐는데, 다소 거칠고 정리되지 않은 시도였지만 '좋은 질문'에 대해 생각하게 했다는 점에서는 확실한 의의가 있었다. 모두가 공감한 '좋은 질문'의 조건이란, 작품을 다른 방향에서 보게 만드는 질문, 새로운 의미를 발견하게 하는 질문, 무심코 지나쳤던 어떤 부분을 곱씹어보게 하는 질문들이었다. 그 당시 우리 수준에서는 이런 질문을 유의미한 결과로 연결하지 못했지만, 이후 임용을 준비하면서, 또 교직에 들어와서 실제로 발문을 구조화해야 할 때는 분명 큰 도움이 되었다.

혹시나 임용을 일찍 준비하고 싶은 국어교육과 1학년생이라면 이 실패담에서 세 가지는 가져가도 될 것 같다. 현대 소설이라는 분야 선정만큼은 1학년이 시작하기에 적합했다는 것, 이 시기에 전문을 읽는 것은 임용에서든 교단에 섰을 때든 반드시 도움이 된다는 것, 그리고 작품을 읽으면서 이야기해 볼 지점들을 찾는 연습을 하는 것은 굉장히 중요한 경험이라는 것. 단, 이 실패담의 전철을 밟지 않으려면 문학 전공서의 이론을 차분히 훑어본 후에 시작하는 것이 방향을 잡는 데 도움이 될 것 같다. 그리고 중고등학교 때 하던 독서토론과 차별점을 두려면 문학 자체의 내용을 학문적으로 접근하지 말고, 교사 입장에서 활동을 설계한다는 마음으로 접근하는 것이 좋다. 그 작품을 학생들이 왜 알아야 하는지, 작품을 통해서 무엇을 알려줄 수 있는지, 어떻게 해야 작품의 가치를 학생들과도 공유할 수 있는지를 생각하다 보면 '잘 모르겠으니 다음에 이야기하자.'는 찝찝한 결론이 아니라 유의미한 수업 나눔으로 논의가 발전될 수 있을 것이다.

어쨌든 나의 경우, '스터디, 이렇게 하면 망한다.'라고 할 수 있을 만큼 확실하게 실패한 모임이었기 때문에, 어쩌면 《한국 현대소설의 이해》를 끝까지 읽는 날 모임 자체가 파투 날 수도 있겠다고 생각했다. 그런데 막상 스터디 마지막 날이 되자 뜻밖의 이야기가 나왔다.

"우리 이 다음에 뭐하지?"

"언제?"

"다음 모임 때 뭐해? 책 다 끝났는데. 다음에 뭐할지 정하고 가야 준비를 할 거 같은데."

"현대 소설 더 보는 건 좀 싫고, 고전으로 넘어갈까? 고전 시가 이런 거 안 본 지 꽤 됐잖아."

"근데 방식을 좀 바꿔야겠어. 나 좀 봐. 방학이라 기숙사 방도 없는데 스터디 있는 날마다 장거리 통학하잖아. 이 더운 날, 진짜 이거 하나 때문에. 근데 어떤 날은 여기 앉아서도 내가 여기서 뭐하고 있지, 왜 나왔지 싶은 거야. 고전 시가도 좋고 다른 것도 좋은데 이번처럼 흐지부지하면 안 될 것 같아."

앞선 스터디가 다소 실망스러웠음에도 불구하고 모임을 깨자는 이야기는 나오지 않았다. 스터디를 하는 동안 서로 친해진 것은 사실이지만 그게 스터디 유지의 이유가 될 수는 없었다. 이 멤버 그대로 한 번 더 하면 뭐라도 나아지겠지 하는 낙관적인 기대 때문도 아니었다. 처음엔 목적 없이 얼렁뚱땅 만들어진 모임이었지만 어쨌든 함께 했기 때문에 책 한 권은 끝낼 수 있었다는 것, 모여서 시간 낭비하는 일 없이 모임 성격에 맞게 각자 자기 책임을 다했다는 것, 모임을 이어오면서 임용에 대한 공동의 목적의식과 모임의 문제의식을 공유하게 되었다는 것 때문에 이 모임은 예상보다 훨씬 오래 유지되었다.

오전 강의가 없는 날 8시까지 학교 앞 카페에 모여 스터디를 하자고 해도 기꺼이 모이는 친구들이었다. 첫 임용이 한참이나 남았는데도 그렇게 서로 이끌어 가고 이끌려 와 주었다. 이렇게 의지가 넘치는 사람들과 한 집단에 묶여있다는 것은 그 자체로 지칠 새 없이 나아갈 수 있게 하는 동력이 되었다. 어쩌면 교수님이 뜬금없이 신입생들을 모아 놓고 다소 거칠게 스터디를 만들라고 하셨을 때부터, 어떻게든 공부를 하게 만드는 이런 집단에 스스로를 묶어 놓기를 바라셨는지도 모르겠다. 금방 사라질 거라고 생각했던 이 모임은(중간에 한두 명 들고 나는 사람은 있었지만), 이후 세 번의 임용 시험을 거치는 내내 나와 계속 함께 해 주었다.

임용 스터디 희망편

현대 소설로 시작된 스터디는 고전 시가, 고전 산문을 거치고 (좀 더 나아진 상태로) 한 번 더 현대 소설을 거친 끝에 현대 시에 정착했다. 3학년이었다. 현대 시로 넘어온 이 무렵부터는 더 이상 헤매지 않았던 것 같다. 스터디원 모두가 이 모임을 통해 얻고 싶은 것이 명확해져서 기존 스터디 방식에서 비효율적이라고 생각되었던 부분들이 많이 정리되었다. 공부 방법을 설계할 때에도 추구하는 방향이 명확해졌는데, 혼자 공부해서는 얻지 못하는 것들을 모임을 통해 얻을 수 있도록 하는 데에 중점을 뒀다. 이쯤 돼서는 자료를 수합하고 요약하는 일에도 도가 터서 발제를 맡아도 한두 시간 정도면 봐줄 만한 자료를 뚝딱 만들어 내는 경지에 올랐는데, 더불어 첫 임용시험이 이듬해 11월로 성큼 다가왔다는 사실이 더해지면서 스터디 분량이 급격하게 늘어나기 시작했다.

사실 스터디에 온전히 집중할 수 있는 환경은 아니었다. 대학 재학시절 내내 줄곧 그랬지만 3학년은 유난히 아르바이트가 많았던 해였다. 당시 우리 집은 장학금이 아니었다면 당장 휴학을 생각해야 할 수도 있겠다 싶을 만큼 어려웠을 때였고, 상황을 해결하려고 고군분투하는 부모님께 식비, 교통비를 요구하기에도 너무나 죄송한 상황이었다. 내 생활비를 해결하려면 아르바이트는 필수였는데, 최소한 4학년 2학기만큼은 아르바이트 없이 임용에만 집중하고 싶은 욕심이 있었다. 당시 내가 생각할 수 있는 방법은 저축뿐이었다. 한 학기를 버틸만한 생활비를 모으기 위해서 아르바이트를 늘렸는데, 다행히 소규모 영어 학원에서 파트타임 강사로 근무할 수 있게 되었다. 주7일 근무였는데, 평일 저녁에는 중학교 2, 3학년 강의를, 주말 오후에는 고등학교 2, 3학년 강의를 맡는 조건이었다. 그리고 주말 오전에는 고1 국어 과외를 욱여넣었다.

이미 빡빡한 일정이었지만 예상 밖의 변수가 더 있었다. 국어에 집중하다 보니 영어를 다 잊어버릴 것 같아서 부전공으로 영문과를 선택했는데, 막상 수강 신청을 하려고 보니 대부분의 수업이 영어 강의였다. 제대로 알아보지 않고 덥석 부전공을 신청해버린 탓이었다. 어차피 영어를 더 공부하고 싶어서 신청한 김에 열심히 하자는 생각은 있었지만, 영문과 학생들에 비해 회

화와 작문 능력이 부족했던 내가 수업도, 과세도, 시험도 전부 영어로 이루어지는 강의에서 좋은 학점을 얻으려면 상당한 시간과 노력을 들여야 했다. 조기 졸업을 염두에 두고 있던 시기였기 때문에 학점 관리를 소홀히 할 수도 없었다.

학점 관리, 아르바이트, 스터디를 한 번에 해내려면 절대적으로 시간이 필요했다. 밥 먹을 시간도, 잠잘 시간도 부족했다. 내 인생에 이렇게 바쁠 때가 또 있을까 싶을 만큼 치열한 시기였다. 하필 매일 1교시 강의가 있었고, 출근 시간 러시아워를 뚫고 제때 강의실에 도착하기 위해 강제로 6시에 기상했다. 황금 같은 공강 시간은 과제, 팀플, 스터디, 학원 수업 준비로 사라졌다. 마지막 강의가 끝나면 스터디 모임이 있었고, 모임이 끝난 직후에는 학원에 출근했다. 퇴근해서 집에 오면 밤 11시, 공강 시간에 미처 못 끝낸 것들을 마무리할 시간이었다. 수혈을 받는 기분으로 커피를 들이부으면서 새벽 내내 컴퓨터를 붙잡고 있다 보면 3시, 4시는 금방이었다. 그렇게 2시간도 못 자고 6시 알람에 눈을 뜨면 다시 똑같은 하루의 반복이었다.

1년하고도 2개월, 4학년 교생 실습이 시작되기 직전까지 이 일정을 소화하면서 우여곡절도 많았지만, 다행히 이때 했던 스터디는 정말 많은 도움이 되었다. 전공 분야에 한해서는 모임을 함께 했던 6년을 통틀어 가장 많은 도움이 되었던 것 같다. 3학년 한 해 동안에만 현대 시, 화법교육론, 독서교육론, 작문교육론을 모두 끝냈는데, 이때 만든 자료 질이 좋아서 마지막 임용을 치렀던 때까지 계속 참고 자료로 썼다.

현대 시 스터디에서 중점을 둔 부분은 '읽는 눈을 기르는 것'이었다. 단순히 시어의 함축적 의미를 해석하고 주제를 찾아내는 데 그치는 것이 아니라, 그 작품에서 어떤 부분에 집중해야 하는지(표현상의 특징인지, 시에 드러난 시인의 개성인지, 시가 창작된 시대적 배경인지), 나아가 어떤 성취기준과 엮어서 가르치는 게 가장 효과적인지까지 논의하는 게 목적이었다. 지도서에 모범 답안처럼 제시된 작품 해설과 제재 선정 기준에서 벗어나 능동적으로 작품을 읽고 수업을 설계할 수 있는 눈을 기르자는 것이었다.

이 스터디는 분명 많은 도움을 주었지만, 시작 단계에서는 몇 가지 난관이 있었다. 첫 번째 난관은 작품

리스트를 뽑는 문제였다. 현대 시는 정말, 많아도 너무 많았다. 작품 리스트에 앞서 작가 리스트를 만드는 것부터가 망망대해를 헤매는 기분이었다. 결국 우리는 서점에 가서 고등학교 문학 문제집 중 현대 시가 가장 많이 수록된 교재들을 몇 권 뽑았다. 그 교재들의 목차를 참고하여 기초 리스트를 만든 뒤, 시론에 대한 전공서들을 훑어보며 부족한 부분을 채워 넣었다. 보충한 목록을 가지고 교수님께 면담을 요청해서 더 공부할 작품들이 있을지 자문을 구한 뒤, 완성된 리스트로 스터디를 시작했다.

두 번째 난관은 미처 예상하지 못한 부분이었는데, 국어교육을 전공했다는 것이 부끄러울 만큼, 생각보다 우리가 자력으로 시를 해석해 본 경험이 많지 않다는 것이었다. 스스로 '이제는 비전공자들보다는 국어에 대해서 많이 알지. 당연히 그래야 하고.'라고 자부하던 시기였으나, 아무런 자료 없이 달랑 시 한 편만 주어졌을 때 할 수 있는 해석이라곤, 고등학교 문학 시간에 선생님이 '이거 중요해!'라고 강조했던 부분들을 복기하는 수준에 그쳤다. 그나마도 한 번쯤 읽어 봤던 작품들이나 가능한 것이었고, 교수님 추천으로 넣은 듣도 보도 못한 시들은 표면적 의미만 이해할 뿐, 해석이 전혀 불가능한 경우도 많았다.

현대 시 스터디는 주 3회였는데, 구체적인 방식은 다음과 같았다. 우선, 스터디 1회당 작품은 2~3편 정도로 선정한다. 발제자는 선정한 작품·작가에 대한 논문을 정리하고, 교과서나 수능 기출, 즉 실제 학교 수업에서는 그 작품이 어떻게 다뤄지고 있는지를 조사해 온다. 다른 스터디원들은 어떠한 자료도 찾아보지 않고 오로지 작품만 반복해서 읽은 뒤 각자 내용을 해석하고, 수업에서 어떻게 활용할 것인지 의견을 준비해 온다. 모임에서는 각자가 준비해 온 해석과 의견을 공유하되 발제자는 맨 마지막에 발언한다. 각자의 해석과 의견 공유가 끝나면 발제자가 준비해 온 자료를 발표한다. 자료 내용을 참고하면 기존 해석의 오류를 깨닫거나 새로운 의견이 추가되기도 한다. 이렇게 달라진 부분들을 함께 공유하고 정리하며 스터디를 마무리한다.

처음 시작할 때는 이 방식에 대해 다들 약간 회의적이었다. '어떠한 자료도 찾아보지 않고 오로지 작품만 반복해서 읽은 뒤' 나온 해석에 대한 의심이었다. 어쩌면 오독일지도 모르는 나 자신의 해석을 굳이 만들어 보는 것이 시간 낭비는 아닐까, 하는 생각이 자주 들었다. 비교적 시간이 많았던 1학년 때라면 모를까, 이제는 그냥 누군가가 잘 정리해서 만들어 놓은 자료를 사서 공부하는 것이 훨씬 낫겠다는 생각도 했다. 각자의 해석에 확신이 없으니 모여서 해석을 공유하는 것에도 문제가 있었다. '해석의 다양성'이 문학을 훨씬 깊고 넓게 향유할 수 있게 하는 가치라지만, 그 다양성 때문에 2시간 내내 논쟁하다 보면 '그놈의 다양성' 소리가 저절로 나왔다. 명확한 기준이 없으니 어디까지를 해석의 다양성으로 보고 어디부터를 오독으로 봐야 할지 어렵기만 했다.

그럼에도 리스트를 끝낼 때까지 이 방식을 유지할 수 있었던 것은, 주 3회나 얼굴을 맞대고 앉아 논쟁한 탓에 생각보다 성과가 빨리 나타났기 때문이었다. 어설프고 초라한 해석이라도 시간을 들여 직접 만들어 보고, 발제 자료와 여러 사람의 의견을 참고하여 수정하는 과정을 한 달쯤 거치자 눈에 띄는 성과가 보였다. 각자의 해석에는 납득할만한 근거들이 붙었고, 말도 안 되는 방향으로 흘러가던 오독들도 점차 정리되어 갔다.

서로 해석을 공유하고 피드백을 주고받는 과정을 통해서 '시를 읽는 방법'이 무엇인지 점점 익히게 된 것이다.

밥도 거르고, 마음 편히 푹 자는 날이 하루도 없는 빡빡한 일정 속에서 자투리 시간으로 얻어낸 값진 성과였다. 범위가 없어서 끝도 없는 문학 공부에서, 어떤 작품을 만나도 일단 접근해 볼 수 있는 방법을 찾은 것이다. 효율을 좇아 입소문 난 강사의 자료를 사서 외웠다면 여전히 선생님 해석을 받아 적던 고등학생에 머물러 있었을지도 모른다. 시험을 염두에 뒀다고 하기엔 비효율적인 방식이었을지 모르지만, 시험만을 위한 공부가 아니었기 때문에 임용시험뿐만 아니라 현장에서도 계속 쓸 수 있는 역량을 기를 수 있었다.

지난한 나날

한 학기 내내 이어진 현대 시 스터디가 끝나자 첫 임용시험은 더 가까이 와 있었다. 3학년 2학기, 더 이상 문학만 붙잡고 있을 수는 없었다. 우리가 눈을 돌린 곳은 기능교육이었다. 기능교육이란 화법, 독서, 작문 교육론을 이야기하는 것으로, 어떻게 하면 모국어를 '잘' 듣고, '잘' 말하고, '잘' 읽고, '잘' 쓰게 만들지를 연구하는 분야이다. 이 분야는 우리가 공부를 시작할 때쯤 연구가 활발하게 이루어지고 있었는지, 하루가 다르게 전공서 신간이며 개정판이 쏟아졌는데, 혼자서 다 보자니 시간이 너무 걸릴 것 같고, 몇 권을 포기하자니 내가 안 본 그 책에서 문제가 나올 것 같다는 불길한 예감이 들었다.

스터디는 바로 이럴 때 필요한 거였다. 화독작 스터디의 목적은 단권화였다. 먼저 화법교육론, 독서교육론, 작문교육론의 필독서라고 생각되는 전공서를 2~3권 선정했다. 학부 강의에서 교재로 사용되는 책들을 기본으로 하되, 교재에서 자주 인용되는 책, 그 분야의 권위 있는 교수님이 집필한 책, 가장 최근의 교육과정을 반영하고 있는 책들을 추가로 살펴보았고, 그 중 필요하다고 생각되는 책들이 함께 공부할 전공서로 선정되었다. 선정된 책들의 분량은 제각각이었지만, 어떤 책이든 각 잡고 꼼꼼하게 소화하려면 단 한 권 읽는 데에도 만만찮게 시간을 투자해야 한다는 것만은 분명했다. 우리가 스터디를 통해 한 일은, 이 무겁고 방대한 자료들을 짧은 시간에 반복해서 공부할 수 있도록, 하나의 지도를 만드는 일이었다.

자료를 수합하고 요약해서 보기 좋게 다듬는 일은, 스터디원 모두가 처음 스터디를 시작했을 때부터 매주 해왔던 일이었다. 단권화 작업 역시 그런 종류의 일이었으나, 이제껏 만들어왔던 발제 자료와는 범위부터가 차원이 달랐다. 일회성 자료가 아닌 계속 두고 볼 수 있는 지도를 만드는 것이 목표였는데, 네 명이 함께 완성도 있는 하나의 결과물을 만들려면 작업의 방향을 공유하는 것이 먼저였다. 우리가 지도에 반드시 그려 넣어야 하는 것들은 무엇인지, 정보의 중요도에 따라 지도에 표시하고, 표시하지 않고를 결정한다면 어디까지를 표시할 것인지. 그런 것들을 함께 정하는 것이 첫 번째 단계였다. 우리가 레퍼런스로 삼은 것은 교육과정이었다. 임용을 목표로 하는 스터디에서 '지도에 반드시 그려 넣어야 하는 것'에 해당하는 것은 당연히 '교육과정에 포함된 내용'이었다. 선정한 책들을 늘어놓고 목차를 함께 살펴보면서 교육과정에서 다루는 내용 요소들을 체크했다.

교육과정과 맞춰 체크한 내용을 재정렬하고 나니 어느 정도 스케치가 완성되었지만, 체크되지 않은 내용이 절반이나 남았다. 교육과정에 포함되지 않았다고 해서 공부하지 않아도 된다는 것은 아니었다. 체크되지 않은 것들은 따로 모아 유목화를 했다. 유목화를 하면서 보니 전공서끼리 겹치지 않는 내용들이 꽤 있었다. 이를테면 A, B책에서는 다루지 않지만 C책에서는 꽤 많은 분량을 할애하여 설명하고 있는 경우였다. 이렇게 특정 책에서만 다루는 내용들도 누락되지 않도록 목차에 포함시키고, 출처를 함께 표시했다.

단권화 자료의 목차가 완성되고 나니 다음 단계에는 속도가 붙었다. 목차를 적절한 분량으로 나누고, 스터디 목적에 맞게 단권화 작업과 학습을 동시에 할 수 있도록 계획을 짰다. 학부 강의에서 교재로 사용된 책을 우리끼리는 '기본서'라고 불렀는데, 발제를 맡지 않은 날에는 기본서의 해당 분량만 꼼꼼하게 읽고 가면 됐다. 모여서 하는 일은 각자 읽고 온 내용을 복습하고 심화시키는 것이었는데, 발제자가 이 역할을 했다. 발제를 맡은 사람은 우리가 선정한 전공서 전체에서 자신이 맡은 주제가 나온 부분을 모두 찾아 읽고 단권화를 해와야 했다. 스터디 당일에는 발제자가 개조식으로 깔끔하게 정리된 단권화 자료를 나누어주고 강의하듯이 설명을 해주었다. 특히 다른 책에 추가로 제시된 부분, 서로 견해가 다른 것처럼 보이는 부분, 새로운 용어가 등장하는 부분은 출처를 표시하고 구체적으로 짚어주었다.

이 스터디에서 가장 힘들었던 점은 반드시 후속 학습이 이루어져야 학습 효과가 있다는 것이었다. 단권화 자료에서 따로 출처가 표시된 부분은 모두 '기본서에는 나와 있지 않은' 내용들이었는데, 개조식으로 정리된 것만 읽어서는 제대로 이해할 수가 없었다. 그래서 발제를 맡지 않은 날에는 출처를 찾아 직접 읽으면서 생략된 문맥을 파악하고, 발제자가 설명해 준 내용을 다시 복습하는 시간이 반드시 필요했다. 발제를 맡은 친구들이 단권화 자료에 출처의 페이지까지 표시해 두었기 때문에 혼자서 공부하는 것보다는 훨씬 시간을 단축시킬 수 있었지만, 어떠한 강제성도 없이 자발적으로 복습을 위해 따로 시간을 내는 것은 큰 의지가 필요했다.

휴일이 단 하루도 없는, 3시간 이상 자는 날은 손에 꼽는 일정을 6개월 넘게 지속하고 있었다. 체력적으로도, 정신적으로도 힘에 부쳤다. 멀쩡하게 수업을 듣고, 웃으면서 스터디를 하고, '열정적인 선생님'이라는 말을 들을 만큼 힘을 쏟아내며 수업을 했지만, 집에 들어오면 한 마디도 하지 않는 날들이 늘어 갔다. 주말에 학원 수업을 가다가 길에서 쓰러져서 집에 업혀 들어온 어떤 날이 있었다. 침대에서 눈을 떴을 때, '오늘 빠진 수업은 또 언제 보강을 해야 하지' 하는 걱정이 제일 먼저 들었다. 1교시 수업을 들으러 가던 중 심장이 이상하게 뛰어서 자연대 휴게실 책상에 혼자 엎드려 숨을 고르던 어떤 날도 있었다. 꾸역꾸역 버티고는 있었지만, 아주 작은 일이라도 이 일상에 무언가를 더 얹는다는 것이 너무 버거웠다.

그래도 후속 학습은 필요했다. 사실 그 당시 내 일상을 구성하고 있던 모든 일 중에 필요하지 않은 일은 없었다. 바꿔 말하면 없앨 수 있는 일이 없었다. 학점 관리도, 알바도, 임용 스터디도 결국 다 내가 해야 하는 일이었다. 버겁게 느껴진다는 이유로 도망칠 수는 없었다. 새벽 두 시쯤, 반드시 그날 다 끝내야만 하는 모든 일이 마무리된 후, 스터디 자료를 꺼내 들고 다시 책상 앞에 앉는 것이 너무 힘든 날에는 모든 것이 내 욕심 때문이라는 생각을 했다. '다 내가 벌인 일이다. 휴학하고 싶지 않은 욕심 때문이다. 내년에는 알바를 안 하고 싶다는 욕심 때문이다. 시험 한 번으로 끝내고 싶은 욕심 때문이다. 그 욕심 다 채우려면 이 정도는 당연히 해야 하는 거다.' 이렇게 생각하면 그냥 받아들여졌다. 이것도 안 통할 것 같은 날에는 생각을 비웠다. 시계도 보지 않고 기계적으로 책을 폈다. 그렇게 집중하다 보면 또 하루가 넘어갔다.

나를 다독이며 지샌 밤들로 건강은 조금 잃었지만 얻은 것이 훨씬 많았다. 스터디 덕분에 전공 공부와 임용 준비를 동시에, 더 깊게 할 수 있었고, 학원 일을 하면서 서로 다른 여러 명의 학생들을 혼자 이끌어 가는 수업은 어떻게 해야 하는지 경험으로 깨닫기도 했다. 나를 힘들게 했던 부전공은 영어로 말하고 쓰는 실력을 키우는 데에는 크세 기여하지 못했지만, 학원 수업에서 맡은 아이들에게 정확한 지식을 전달할 수 있게 해주었고, 언어학과 문학에 대한 식견을 넓혀 주었다.

이 시간을 지나오면서 나는 디 준비되었고, 더 갖춰져 갔다. 마냥 막막하고 조급하기만 했던 1학년 때보다 훨씬 단단해진 상태로 대학에서 보내는 마지막 봄을 맞이하게 되었다.

첫 시험

아등바등 살아낸 1년 덕분에, 교생 실습이 시작되던 때부터는 바라던 대로 아르바이트에서 해방되었다. 스터디도 잠시 휴식기를 가졌다. 오롯이 실습에만 집중하는 시간이었다. 한두 해 일찍 실습을 겪어 본 선배들은 '교생 나가면 애들이 정말 예뻐 보여. 그냥 막 애정이 생겨. 겪어보니까 더 임용에 합격하고 싶더라.'라고 하기도 하고, '일단 현장에 나가 보면 교직이 적성인지 아닌지 감이 오지. 난 시험 한 번 봐보고 안 되면 빨리 다른 길 찾으려고.'라고 하기도 했다.

난생 처음 교사 입장이 되어 들어가 본 학교는, 선배들에게 들어왔던 것만큼 마냥 설레고 벅차오르는 곳은 아니었다. 그래도 아이들은 예뻤고, 지도교사 선생님들은 이분들과 같이 일하고 싶다는 생각이 들 만큼 살뜰하게 교생들을 챙겨 주셨다. 실습을 하면서 '나는 반드시 교사가 되어야겠다'라는 강한 확신을 가질만한 사건도, 눈물을 쏟을 만큼 감동과 아쉬움이 벅차오르는 일도 없었지만, 내가 잘 알고 있다고 생각했던 교사라는 직업은 극히 단편적인 조각에 불과했다는 것만은 분명히 알게 되었다. 맡은 일이라고는 수업과 학생 상담뿐인데도 그것들을 제대로 해내는 데 내 하루를 다 쏟아가면서, '이 직업의 세계에 정식으로 발을 들이게 되면 제대로 내 몫을 해내고 싶다, 잘하고 싶다'라는 막연한 의지가 생겼다.

실습이 끝나고 얼마 후, 학기도 종료되었다. 정말로 시험이 목전이었다. 조기 졸업을 신청하진 않았지만, 4학년 1학기에 이미 필요한 학점을 모두 채웠기 때문에 마지막 학기는 등록만 하고 수강 신청을 하지 않았다. 학점 관리도, 아르바이트도 하지 않고, 개인 공부 시간을 확보하기 위해 스터디도 축소했다. 스터디에서는 그동안 소홀히 했던 교육학을 함께 공부했다. 교육학 모의고사를 함께 풀고 첨삭해 주는 방식이었다. 스터디를 위해 잠깐 학교에 가는 시간을 제외하고는 오로지 시험 준비에만 매달렸다. 그동안 봐 왔던 자료들을 혼자 차분히 다시 보는 시간을 가졌다.

10월 말. 1차 시험이 한 달쯤 남은 시점이 되면 임용 원서 접수를 한다. 원서를 쓰기에 앞서 임고생들이 꼭 확인하는 것은 선발예정 인원, 즉, 티오이다. 티오는 두 번 공고되는데, 임고생들끼리는 6월 사전 예고 공고문에 있는 티오를 '가티오', 10월 시행 계획 공고문에 있는 티오를 '진티오'라고 부른다. 1차 시험은 전국 어느 시도에서나 평가원에서 출제한 같은 시험지로 보지만, 접수는 시도별로 따로 받는다. 시도별 티오가 모두 다르기 때문에 어떤 지역에서 응시하느냐에 따라 경쟁률도, 합격선 점수도, 내가 합격할 확률도 달라진다. 따라서 응시할 시도교육청을 결정할 때 연고지인지 아닌지보다 티오가 더 중요하게 여겨질 때도 많다.

대학에 입학했을 때만 해도 내가 사는 광역시의 티오는 15명이었지만, 4년이 지나자 2명이 되었다. '10등 안에는 들어야 합격하겠구나'라고 생각했을 때도 막막했는데, 2등 안에 들어야 합격할 수 있는 티오가 된 것이다. 아무리 열심히 준비했다 한들 고작 두 자리 있는 곳에 지원하기에는 자신이 없었다. 결국 내가 눈을 돌린 곳은 세종시였다. 연고는커녕 잠깐 들른 적도 없는 지역이었지만, 그곳에서 어떻게 살 것인가 하는 것은 일단 합격하고 나서나 고민할 문제였다. 마음만 먹으면 주말에 얼마든지 집에 올 수 있는 거리, 신도시답게 크고 깨끗한 학교 시설, 무엇보다도 33명이라는 넉넉한 티오가 마음을 끌었다.

임용은 원서 접수 시작일부터 마감일까지 매일 응시 인원을 공개하는데, 세종시의 국어과 최종 응시 인원은 837명이었다. 2차 시험장에 가려면 49등 안에 들어야 했다. 경쟁률을 눈으로 확인하고 나니 정말 시험이 코앞이라는 사실이 실감 났다. 그리고 정말 이상하게도, 여태 잘 유지해 오던 페이스가 흔들리기 시작했다. 가장 집중해야 할 때 잡생각이 많아졌다. 한 번도 그런 적이 없었는데, 스터디를 할 때도 다들 조금씩 예민해졌다. 평소처럼 교육학 모의고사 첨삭을 하고 있는데, 늘 차분하던 P가 땅이 꺼져라 한숨을 쉬면서 말했다.

"요즘 왜 이렇게 스터디만 하면 스트레스 받는 것 같지?"

"왜 그래?"

"모의고사 풀면 점수가 막 시소 타기를 하는데, 내가 쓴 답이 왜 틀렸는지 납득이 안 될 때가 있어. 세 명 중에 두 명이 틀렸다고 하는 걸 보면 틀린 게 맞는데, 그래도 내가 봤을 때는 '진짜 이런 것까지 감점을 할까?' 싶은 것들이 있어서. 진짜 시험에서도 우리가 채점하는 방식으로 점수를 매길까?"

"모르지. 모범 답안도 없고 채점 기준도 없으니까. 그러니까 스터디할 때는 더 작은 것까지 잡아내는 게 맞지 않을까? 그 사람들이 어디까지 세세하게 볼지 모르잖아."

"난 P가 무슨 말 하는지 알겠어. 나도 그럴 때 있었거든. 시험이 얼마 안 남았으니까 점수가 안 좋게 나오면 신경 쓰이잖아. 차라리 뭘 몰라서 틀린 거면 그냥 집에 가서 더 공부하면 되는데, '이 부분은 조사 때문에 의미가 달라져서 점수를 주기 힘들 것 같다.' 이런 이유로 감점당하면 영 찝찝하더라고."

"맞아, 내가 말하는 게 그런 거야. 분명히 답을 적을 때는 이게 맞다고 생각하고 썼는데, 다른 사람이 읽어 봤을 때는 다른 의미로 읽힌다고 하니까. 시험장에서 쓴 답도 그러면 어떡하지 싶고. 나 혼자 답을 쓸 때는 틀린 부분이 안 보이니까 어떻게 고쳐야 할지도 모르겠고. 첨삭 스터디니까 이런 걸 잡아내는 게 당연한 건데, 시험이 얼마 안 남아서 그런지 그냥 좀 답답하네."

"점수는 너무 신경 쓰지 마. J 말대로 채점관들이 어디까지 세세하게 볼지 모르니까 우리도 더 작은 것까지 다듬으려고 하는 것뿐이야. 실제로는 키워드 채점이라고 하니까 이렇게까지 안 볼 수도 있어. 우리가 이렇게나 쪼잔하게 감점을 했는데, 실제 시험에서는 아무리 못해도 이 점수보단 더 주겠지."

"그래. 그렇게 생각해야지. 차라리 빨리 시험이 끝났으면 좋겠다."

먼저 말을 꺼낸 건 P였지만, 모두 같은 이유로 스트레스를 받고 있었다. 이 시기에 반드시 해야 할 일은 스스로를 돌아보고 부족한 점을 보충하는 것이었는데, 시험 날짜가 다가올수록 채점 기준이나 경쟁률처럼 우리가 어쩌지 못하는 것들이 더 신경 쓰였다. 이런 것들에 신경 쓸수록 이유 모를 억울함과 불안만 더 커진다는 걸 알면서도 그랬다. 가장 똑똑하게 공부해야 할 시기였지만, 어떤 전략도 계획도 없이 그저 해 오던 것들을 계속하면서 무의미한 한 달이 흘러갔다.

진작 파악하고 채워 넣었어야 할 '부족한 점'은 안타깝게도 시험 당일에 발견되었다. 1교시 교육학 시험이 끝나자마자 시험실에 있던 모든 사람들이 전공 시험을 위한 마지막 정리를 시작했는데, 그들 손에 들린 자료에 크게 찍혀 있던 인강 강사의 이름을 보고서야 아주 중요한 것을 전혀 준비하지 않았다는 것을 깨달았다.

교육학은 스터디를 통해 여러 번 모의고사를 풀며 답안을 쓰는 연습을 했지만, 전공은 아니었다. 전공 모의고사를 하지 않은 데에는 나름의 이유가 있었다. 전공 모의고사 문제를 만드는 사람은 국어 임용 강사들이었는데, 강사마다 출제 패턴도, 답안 스타일도 천차만별이었다. 이들 중 한 명을 선택해서 모의고사를 풀다 보면, 그 강사의 출제 패턴에 익숙해지고, 그 사람이 제시한 답안 스타일을 답습하게 되는데, 문제는 그 스타일이 실제 임용 출제진이 추구하는 방향과 일치하는 것인지 알 수가 없다는 것이었다. 또, 전공 모의고사는 교육학 첨삭 스터디보다 훨씬 더 많은 시간을 필요로 했는데, 이미 전공 기출 분석에 많은 시간을 쏟고 있던 우리에게는 너무 부담스러운 선택지였다. 그래서 '전공은 기출 분석만으로 충분하다. 이것은 선택과 집중이다.'라고 합리화를 했던 거였다.

문제는 기출 문제를 분석하기만 하고, 시간에 맞춰 답안을 써 보는 연습을 한 번도 해보지 않았다는 데 있었다. 어떤 시험이든 응시자들이 굳이 시간과 비용을 들여 모의고사를 푸는 이유는, 실제 시험과 비슷한 조건에서 연습해 보기 위함이라는 것을 간과하고 있던 것이다. 기출 분석을 하며 개별 문제에 대한 답안은 많이 써 보았지만, 전공 시험지 전체를 한 호흡으로 풀어 본 적은 한 번도 없었다. 전공 시험 직전이 되어서야 시간 분배를 어떻게 해야 할지 고민하기 시작했다.

당연하게도, 시간 분배는 실패였다. 답안을 구조화하고 옮겨 쓰는 데 생각보다 시간이 더 오래 걸려서 두 문제 정도는 백지로 제출할 수밖에 없었다. 그렇다고 써낸 답에 확신이 있는 것도 아니었다. 불안한 마음에 자꾸 시험지를 들춰보았다. 집으로 오는 차 안에서 같이 간 동기들과 답을 맞춰 보았지만, 중구난방이었다. 오히려 더 심란해지기만 했다. 허무하고 속이 쓰렸다. 4년을 준비한 것치고는 너무 형편없는 결과였다.

밖이 어둑어둑해질 때쯤에야 집에 도착했다. 어쨌든 1차라도 끝나면 개운해질 줄 알았는데, 그냥 얼떨떨하고 찝찝한 기분이었다.

"엄마, 나 왔어."

"왔어? 너 좀 피곤해 보인다. 시험 어려웠어?"

"모르겠어. 망한 것 같아."

"……잘 봤겠지. 그럼 이제 쉬는 거야?"

"일요일까지 좀 쉬고 다음 주부터 천천히 2차 준비하려고."

"1차 결과 보고 해도 되는 거 아니야?"

"그냥 뭐라도 해야 마음이 편할 것 같아. 손 놓고 있었는데 1차 합격해버리면 후회할 수도 있잖아."

4년 동안 허투루 공부한 건 아니지만 준비가 부족했다는 것도 사실이었다. 1차를 보고 나니 그게 너무 분명하게 느껴져서 아무것도 안 하고 있기가 힘들었다. 1차 결과 발표까지 남은 시간은 한 달이었다. 결과가 어떻든 이 한 달 동안은 아무 생각도 안 날 정도로 바쁘게 지내고 싶었다. 그렇게 해야 결과가 안 좋더라도 괜찮을 것 같았다.

당장 다음 주부터 2차 스터디를 시작했다. 응시 지역에 상관없이 공통으로 준비해야 하는 수업 실연과 면접을 준비하기로 했다. 국어과의 모든 성취기준에 대해 최소 한 번씩은 수업 실연을 연습해 보고, 면접 준비 교재에 제시된 모든 주제에 대해 답변을 생각해 두는 것이 목표였다. 3주간 월요일부터 토요일까지 하루도 빠지지 않고 모였다. 매일 스터디원 전체가 각각 수업 실연 문제 두 세트와 면섭 문제 한 세트를 만들어오면, 즉석에서 뽑아 시험을 보고 피드백을 해 주는 방식이었다. 하루에 네 명이 각각 수업 실연 2번, 면접 1번을 하는 것은 생각보다 시간이 아주 오래 걸리는 일이었다. 아침 일찍 모여도 밤이 되어서야 끝났다. 집에 오면 온갖 출판사의 지도서를 뒤져 다음 날 쓸 문제를 뽑아내느라 밤을 샜다. 체력적으로는 힘들었지만 마음은 오히려 편했다. 할 만큼 했다는 생각이 들었다. 결과가 어떻게 되든 후회하지 않을 것 같았다.

1차 발표 당일, 별 기대 없이 들어간 성적 조회 페이지에는 뜻밖에도 합격 소식이 있었다. 컷에서 딱 1점 높은 점수였다. 안타깝게도 같이 공부했던 친구들은 2차 시험장에 함께 갈 수 없었다. 스터디원 모두 결과를 확인하곤 나보다 더 기뻐하며 진심 어린 축하를 전해주었지만, 막상 합격 소식을 들은 나는 마냥 기쁘지만은 않았다. 2차를 볼 기회를 얻었다는 기쁨, 혼자서 2차 준비를 이어가야 한다는 막막함, 1배수 안에 들려면 남들보다 더 높은 점수를 얻어야 한다는 부담감, 친구들에 대한 고마움과 미안함이 뒤섞여 묘한 기분이었다.

그러던 중 학과에서 1차 합격 여부를 파악하는 연락이 왔고, 다른 지역에 합격한 선배들과 함께 본격적으로 2차 준비를 할 수 있게 되었다.

1차 합격 발표일부터 2차 시험 당일까지 주어진 시간은 정확히 2주였다. 2주 동안은 새로운 스터디에서 피드백을 받으며 수업 실연과 면접 답변을 다듬고, 세종시교육청 시험 방식에 맞춘 2차 준비를 했다. 세종시는 지도안과 수업 실연을 연계하여 평가하는 지역이라 조건에 맞는 지도안을 정확하게, 구체적으로 작성하는 연습을 했고, 자체 출제 문제에 대비하여 세종시 교육 정책들을 면접 답변에 녹여 낼 수 있도록 준비했다. 1차 합격 발표 전 한 달 동안 열심히 준비한 덕에 큰 실수나 기복 없이 무난하게 잘한다는 평가를 받았지만, 눈에 띄는 한 방 없이 그저 '무난한' 실력으로 1차 결과를 뒤집고 1배수 안에 들 수 있을지는 미지수였다.

2차 시험은 딱 준비한 만큼 봤다. 혹시나 긴장해서 평소에 안 하던 실수를 할까 봐 걱정했는데, 다행히 떨리지도 긴장되지도 않았다. 주어진 시간은 남지도 부족하지도 않게, 충분히 활용했다. 조건을 놓치지도 않았고 기억에 남을 만한 실수를 하지도 않았다. 그러나 연습을 뛰어넘을 한 방 역시 없었다. 최선을 다했고, 아쉬울 것도 없었지만, 이것만으로 합격할 수 있을지에 대해서는 여전히 확신이 들지 않았다.

그 후 2주는 '합격하면 어떡하지'와 '불합격하면 어떡하지'의 반복이었다. 아침에는 합격하면 어디서 살지를 고민하며 세종시 원룸을 검색하다가, 점심쯤이 되면 플랜B가 필요하다며 이런저런 자격증, 공무원 시험을 기웃거리고, 저녁이 되면 공연히 아무 글도 올라오지 않는 세종시교육청 홈페이지를 들락거렸다. 시험이 끝나면 아무 생각 없이 실컷 자고 싶었는데, 막상 다 끝나고 나니 잠도 오지 않았다. 그저 결과를 기다리는 것 외에 할 수 있는 일이 없다는 것에 이제껏 느껴 보지 못한 무력함을 느꼈다.

최종 합격 발표일에는 조금 기대를 했다. 그토록 오랜 시간 준비하고, 아쉬울 것 없이 다 보여줬는데도 불합격이라면, 그 모든 과정을 처음부터 다시 반복할 자신이 없었다. 1차 합격을 한 순간부터는 가족들의 기대감도 커졌기 때문에, 내 실패가 모두에게 실망을 안길까 봐 조금 두렵기도 했다. 이왕 여기까지 왔다면, 되도록 여기서 마무리되기를 바랐다.

하지만 때로는 노력의 정도와 결과가 비례하지 않을 때도 있다. 떨리는 마음으로 열어 본 성적 확인 페이지에는 냉정한 결과가 떠 있었다.

'최종 합격자 명단에 없습니다.'

합격컷은 168.54점, 내 점수는 168.52점이었다.

실패해도 괜찮아

잠깐 망연해졌다. 다시 봐도 결과는 똑같았다. 멍한 기분으로 부모님께 문자로 결과를 알렸다. 곧바로 엄마가 전화를 걸어왔다.

"너 괜찮아?"

"그냥 그래."

"울어?"

"아니. 보면 눈물날 줄 알았는데 그건 또 아니네. 이상하게 이거 보고 나니까 잠이 와."

"어떡하냐."

"뭘 어떡해. 어쩔 수 없지."

"그래, 일단 쉬어. 집에 가서 이야기하자."

"응."

전화를 끊자마자 아빠한테서도 전화가 왔다.

"괜찮아?"

"그냥 그래요. 그것보다 2차 볼 때 엄마, 아빠가 세종까지 같이 가줬는데, 결과가 이래서 어떡해요. 죄송해요."

"뭘 죄송해. 네가 고생했지. 어떡하냐."

"일단 좀 자고 생각하려고요. 이따 저녁 때 봐요."

"그래. 일단 쉬어. 이따 보자."

"네."

전화를 끊자 거짓말처럼 잠이 쏟아졌다. 누가 몇 년 치 잠을 뇌에 쏟아부은 것 같은 기분이었다. 너무 졸려서 아무 생각도 하고 싶지 않았다. 그대로 누워서 죽은 듯이 잠을 잤다. 몇 년 만에, 아주 홀가분한 기분이었다.

꽤 오래 잔 것 같았는데, 깨어나 보니 오후 2시였다. 아직도 밖에 해가 쨍했다. 깊게 잤는지 몸이 가뿐하고 개운했다. 침대에 앉아 이제부터 뭘 해야 할지를 생각했다. 가장 먼저 한 일은 근처 학원의 강사 자리를 알아보는 일이었다. 학교 강의도, 알바도 없이 임용에만 올인했던 한 학기가 생각보다 힘들어서, 새로운 곳에서 새로운 사람들을 만나며 나 자신을 환기시키고 싶었다.

마침 버스로 10분 걸리는 거리에 조건이 괜찮은 영어 학원에서 강사를 새로 구하고 있었다. 학원으로 연락했더니 그날 저녁에 바로 면접을 볼 수 있겠냐고 했다. 곧바로 이력서를 준비해 갔다. 다행히 이전 학원에서의 경력과 부전공을 좋게 봐주셔서 일사천리로 계약을 맺었다. 첫 출근은 3월부터였고, 중학교 내신 대비 반을 맡아서 시간을 많이 뺏기지는 않을 것 같았다. 다른 일을 준비하며 병행하기에 만족스러운 선택지였다.

공부와 병행할 기반도 마련했고, 첫 출근까지 시간도 많이 남았다. 이제는 결정을 해야 했다. 계속 임용에 도전할지, 빨리 포기하고 다른 길을 찾을지. 대학 생활 내내 임용이 유일한 선택인 것처럼 매달렸지만, 시험에서 떨어지는 결과를 생각하지 않은 것은 아니었다. 불합격하는 상상을 할 때마다, 만약 떨어지게 된다면 다시는 뒤도 돌아보지 않을 거라고 다짐했다. 최선을 다했는데도 안 되면 그건 정말 안 되는 거라고, 그러니 미련을 둘 필요도 없다고 생각했다. 하지만 막상 2차까지 겪어보니 포기하는 것도 쉽지 않았다. 다음 시험 결과가 이번보다 더 나으리라는 보장도 없고, 어쩌면 1차에서 탈락할 수도 있다는 걸 알고 있는데도, 미련 없이 다른 길을 찾기에는 0.02점이라는 점수 차가 자꾸 아른거렸다. 한 번은 더 해 볼 가치가 있지 않겠냐고 자꾸만 나 자신을 다독이게 됐다.

결국엔 다시 마음을 다잡았다. 임용이라는 체에서 걸러진 지 하루도 되지 않아 다시 제 발로 체 위로 올라

간 것이다. 이번이 정말 마지막이라는 마음이었다. 결심 한 김에 바로 책상 앞에 앉았다. 계획이 필요했다.

보기 싫은 성적 조회 페이지에 다시 들어갔다. 이미 몇 번을 곱씹은 총점 대신 과목별 점수를 천천히 살펴봤다. 1차 총점은 1배수 안에 들기에 부족한 점수, 2차 총점은 1차 결과를 뒤집기에 부족한 점수였다. 결국 1, 2차 모두 문제라는 이야기였다. 이 수준 그대로 다시 시험을 본다고 하더라도 운이 좋으면 최종 탈락, 운이 나쁘면 1차 탈락을 하겠다는 생각이 들었다. 과목별로 살펴보니 교육학은 괜찮았지만 전공이 형편없었고, 면접보다는 수업 실연에서 점수가 약간 더 깎였다. 인정하기 싫었지만 문제는 전공이었다. 막판에 부랴부랴 준비했던 교육학보다도 4년을 꼬박 투자한 전공에서 더 안 좋은 결과가 나왔다는 사실에 속이 쓰렸다.

그래도 다행이라고 생각하기로 했다. 부족한 것을 발견함으로써 더 잘 준비할 기회를 얻은 거였다. 첫 시험을 준비하며 잘했다고 생각하는 것과 아쉬웠다고 생각하는 것들을 바탕으로 공부 방향을 다시 잡았다. 잘했다고 생각하는 것은 현대 시 스터디를 통해 낯선 지문에 접근하는 방법을 배운 것, 화독작 스터디를 통해 국어교육론 내용을 구조화해 둔 것, 교육학 모의고사를 준비하며 교육학 자료 전체를 여러 번 복습한 것이었다. 아쉬웠다고 생각하는 것은 문학과 문법 분야를 공부할 때 미시적인 내용에 집중하다 보니 전체적인 체계를 만들어 놓지 못했다는 것, 체계가 안 잡혀 있었기 때문에 복습과 인출에도 어려움이 있었다는 것, 전공 답안에 대한 첨삭을 받지 않은 것, 수업 실연과 면접 답변에 구체성을 더하기 위한 여러 가지 사례들을 살펴보지 않은 것 등이었다.

준비 과정을 복기해 모아 놓고 보니 가장 먼저 해야 할 일은 구조화였다. 화독작 스터디에서 했던 것처럼 교육과정을 바탕으로 전공서 내용을 재정렬하고, 교육과정에 포함되지 않은 내용은 따로 유목화하여 모든 자료를 단권화하는 작업이었다. 단, 초수 때와 달리 지도서를 분석한 내용을 단권화 자료에 추가하기로 했다. 1차와 2차를 함께 준비하기 위해서였다. 지도서를 통해 실제 중·고등학교에서는 성취기준의 내용을 어디까지 가르치고, 어떤 활동으로 풀어내고 있는지 살펴보면 1차와 2차를 연계하여 생각하는 데 도움이 될 것 같았다.

첫 할 일이 정해지고 나니 자연스럽게 1년 계획이 떠올랐다. 교육학과 전공 모든 영역에 대한 단권화를 6월 초까지 마무리한 후, 시험장에 들어가기 전까지 최소 10회독을 할 수 있도록 월별로 계획을 나누었다. 단권화 작업이 끝나는 6월 초부터 8월까지는 기출 분석, 9월부터는 모의고사도 병행할 수 있도록 대략적인 루틴도 짰다. 초수 때 어영부영 날려버린 11월도 자연스레 촘촘한 계획이 세워졌다.

계획을 완성하자마자 4년 간 같이 스터디를 했던 친구들에게 연락을 했다. 단권화를 하려고 하는데 시간이 오래 걸릴 것 같으니 도와주지 않겠냐고 제안하기 위해서였다. 나와 가까운 곳에 살던 J가 동참해주었다. P와 H는 9월에 모의고사 첨삭을 할 때 다시 만나기로 했다. 각자 어떤 계기가 있었는지는 모르지만, 결국 모두가 다시 한 번 임용을 준비하게 된 것이다. 꼭 내가 아니었더라도, 그 지난한 과정을 함께 겪어 온 이들 중 누구 한 명이라도 이 시험에 제대로 마침표를 찍을 수 있었다면, 온 마음으로 기뻐하며 보내 주었을 것이다. 결국 그 누구도 마침표를 찍지 못한 채, 다시 출발선에서 모두 모였다는 사실이 안타깝고 비참했다. 하지만 아무도 내색

하지 않은 채 첫 스터디 날짜를 잡았다.

달력에 스터디 시작일을 표시해두고 침대에 누우니 피로가 몰려왔다. 한숨 자고 일어난 뒤로 잠시도 쉬지 않고 불도저처럼 움직였다. 긴 하루였다. 자려고 누웠는데 잡생각이 썰물처럼 밀려왔다. 한 번 더 임용을 보기로 한 결정이, 덥석 영어학원에 이력서를 내러 간 일이, 스터디를 다시 시작한 것이, 다시 세운 공부 방향이. 이 모든 것들이 혹시나 잘못된 선택은 아닌지 자꾸만 재고 따지고 의심하게 됐다. 시험의 최종 결과를 보기 전까지 매일, 잠들기 전 꼬박꼬박 나를 찾아 올 불안의 시작이었다.

두 번째 시험을 준비하던 스물넷은 과거에 대한 자부심도, 현재를 채울 즐거움도, 미래에 대한 확신도 없는 괴로운 시간이었다. 의심과 불안이 계속 나를 흔들었지만, 최종 불합격 통보를 받은 날 비참하고 비장한 마음으로 세운 불완전한 계획을 종교처럼 믿으며 버텼다. 어떤 결과가 나오더라도 후회하지 않겠다 싶을 만큼, 나를 다 쏟아내서 잘 버텨낸 1년이었다.

다시 시험장으로

다시 10월 말. 응시 지역을 결정해야 할 때가 왔다. 지난해 33명을 뽑아 주목을 받았던 세종시는 한 자릿수로 뚝 떨어진 티오를 내놓았다. 내가 사는 지역은 작년 티오 그대로 2명만 선발했다. 작년보다 준비가 잘 되었다고 한들, 선발인원이 한 자릿수인 지역에 응시하는 모험을 할 수는 없었다. 남은 선택지는 19명을 선발하는 인근의 도 지역이었다. 살면서 한 번은 섬에 들어가야 한다는 지역이었지만 상관없었다. 그런 건 합격하고 나서나 고민할 문제였다. 접수 첫날 망설임 없이 도교육청에 원서 접수를 했다.

1차 시험까지 한 달 남짓 남은 때였다. 초수 때엔 가장 많이 흔들리고 방황했던 시기였다. 1년을 돌아 다시 이 시기가 되니 오히려 담담해졌다. 임용을 다시 보기로 결심한 이후로 내내 나를 괴롭혀 온 의심과 불안도 사그라들었다. 여태 준비해 온 방향이 처음부터 틀렸다고 하더라도 이미 바꿀 수 없는 시기였다. 그저 해오던 대로, 계획한 것들을 끝까지 지켜야겠다는 생각만 했다.

1차 시험 전날은 엄청나게 바빴다. 계획에 의하면 출제 범위 전체를 훑어봐야 하는 날이었다. 시험 전날 아침 8시부터 시험 당일 새벽 4시까지, 시험장 근처에 잡은 숙소로 이동하는 길에도 계속 책을 봤다. 신기할 만큼 모든 내용이 분명하게 머릿속에 들어왔다. 되도록 일찍 자려고 했지만 다시 오지 않을 집중력이 생긴 것 같아 손에서 책을 놓을 수가 없었다. 아드레날린 주사라도 맞은 것 같은 기분으로 자료를 훑다가 4시 즈음이 되어서야 잠이 들었다.

그러나 시험 당일 아침은 최악이었다. 새벽까지만 해도 최상이라고 생각했던 컨디션은 온데간데없었다. 없던 시험 불안이 생긴 건지 복통이 너무 심했다. 식은땀이 줄줄 나고 자동으로 허리가 굽혀 졌다. 가만히 앉아 있어도 잦아들지 않는 복통이었다. 시험이 끝날 때까지 시험실 안에 앉아 있을 수 있게만 해달라고 간절히 빌었다.

손이 덜덜 떨릴 만큼 심했던 복통은 교육학 시험지를 받아든 순간부터 서서히 잦아들더니 1교시가 끝날 즈음엔 거짓말처럼 사라졌다. 다행이었다. 덕분에 전공 시험 전에 마지막으로 자료를 한 번 더 살펴볼 여유가 생겼다. 최상의 컨디션이었던 그날 새벽, 유난히 눈에 띄었던 내용들을 다시 살펴보았다. 이제 남은 것은 알고 있는 것을 정확히, 잘 인출하는 것이었다.

전공A 1번은 말하기 불안에 관한 문항이었다. 바로 몇 시간 전 새벽에 마지막으로 읽은 전공서에 나와 있던 내용이었다. 느낌이 좋았다. 서술형 첫 문제는 정책 논제에 대한 학생들의 토론을 읽고, 쟁점과 반대 신문에 대해 피드백하는 문제였는데, 지도서를 분석하며 여러 번 생각해 봤던 내용이어서 수월하게 답안의 초점을 찾을 수 있었다. 문법 문제도, 문학 문제도 초수 때보다 훨씬 확신을 가지고 풀었다. 합격 여부를 떠나 나 자신의 성장만 놓고 봤을 때는 만족스러운 시험이었다.

"시험 잘 봤어? 배 아픈 건 괜찮았고?"

시험이 끝나고 나오자마자 아빠가 걱정스러운 얼굴로 물었다. 아침 내내 아파하다가 밥도 제대로 못 먹고 들어가서 많이 걱정한 모양이었다.

"막 들어가서는 엄청 아팠는데 시험지 받고 나서 괜찮아졌어요. 긴장했나 봐요."

"다행이다. 엄청 걱정했어. 시험은 어땠어?"

"작년보다는 잘 본 것 같은데, 합격할지는 모르겠어요."

딱 말 그대로였다. 공부한 만큼 봤으니 잘 본 건 맞는데 합격할 자신은 없었다. 몇 문제나 맞고 틀렸을지, 어디까지 정답으로 인정될지 전혀 가늠이 안 됐다. 작년보다 점수가 오른다고 하더라도 시험 자체가 쉬웠다면 1차에서 탈락할 수도 있었다. 그래도 공부한 범위 내에서 최선의 답안을 썼기 때문에 초수 때보다는 훨씬 편안한 마음이었다.

또다시 기다림의 시간을 거쳐 12월의 마지막 금요일. 감사하게도 2차 시험장에 갈 기회를 한 번 더 얻을 수 있었다. 합격선은 81.66점, 내 점수는 88점이었다. 1년 내내 바라보고 달려온 방향이 틀리지 않아서 그저 감사할 뿐이었다.

새로운 출발

이번엔 2차 시험장에 혼자 가는 것이 아니었다. 계속 같이 스터디를 해 온 H와 함께 갈 수 있었다. 모두 함께 가지 못하는 것이 마음 아팠지만 J도, P도 진심 어린 축하를 전해주었다.

초수 때 밤을 새워가며 스터디를 한 덕에 이번 2차 준비는 훨씬 여유가 있었다. 조건을 맞추기에 급급했던 세종 때와 달리 디테일한 부분을 만들어 갈 여유가 생겼다. 지도서 분석을 하면서 실제 수업에서의 학생들의 반응을 훨씬 구체적으로 예상할 수 있게 되었는데, 학생 반응의 예상 범위가 늘어나다 보니 자연스럽게 발문도, 순회 지도도, 피드백도 훨씬 풍부하게 보여줄 수 있게 되었다. 같은 활동이라도 어떻게 하면 더 학생 중심으로 보여줄 수 있을지, 똑같은 조건 안에서 주어진 자료를 어떻게 활용하는 것이 교사로서의 역량을 더 잘 보여줄 수 있는 방법인지 고민할 여유도 생겼다.

2차 당일. 30명 중 8번째로 수업 실연을 하게 되었다. 1차 때와 달리 차분하고 편안한 상태로 대기를 했다. 연습해왔던 대로 구상 시간 내에 충분히 구체적인 반응들을 만들어 냈고, 이대로 실연만 잘 해낸다면 모든 것이 성공적으로 마무리될 것 같았다. 모든 것이 순조로웠기 때문에 안정적으로 수업 실연을 마치고 시계를 확인했을 때 크게 당황할 수밖에 없었다. 수업 실연에 주어진 시간은 총 20분인데, 내가 수업 실연을 마치고 시계를 봤을 때 남은 시간은 무려 6분 50초였다. 활동 하나를 통째로 빠뜨린게 아닌가 할만큼 시간이 많이 남은 거였다. 분명 모든 조건을 다 맞췄다고 생각했는데, 시계를 보는 순간 머리가 하얘졌다. 뭘 빠뜨린 건지 생각해보려고 했지만, 떠올리려고 할수록 아무 생각도 나지 않았다. 어떻게든 시간을 벌어보려고 조건에 있지도 않은 차시 정리를 했다. 입이 무슨 말을 하고 있는 지도 모른 채 필사적으로 머리를 굴렸다.

"그래서 오늘 배운 내용은 여기까지입니다. 시간이 조금 남았는데, 오늘 수업에 대한 소감을 말해 줄 친구 있을까요?"

시선이 평가관들 얼굴 위를 배회했다. 더는 어떤 말도 생각나지 않았다. 간절함과 당황이 뒤엉킨 이상한 표정이었을 거다. 가운데 앉아 있던 평가관이 입을 열었다.

“선생님, 여기까지만 하셔도 됩니다.”

“……네. 이상으로 수업 실연 마치겠습니다. 감사합니다.”

머릿속이 백지장이 된 채로 시험실을 나왔다. 핸드폰을 돌려받자마자 먼저 나간 H에게 전화를 했다.

“나 어떡해.”

“왜? 뭐 실수했어?”

“아니. 실수는 안 한 것 같은데, 시간이 너무 많이 남았어.”

“시간 부족한 것보다 남는 게 낫잖아. 괜찮아.”

“아니야. 안 괜찮아.”

“뭐 얼마나 남았는데?”

“6분 30초.”

“6분?”

잠깐의 정적 후에 둘이 머리를 맞대고 조건을 복기해 보았다. 몇 번을 생각해도 빠뜨린 요소는 없는 것 같았다. 시간이 좀 많이 남긴 했어도 조건은 다 지켰으니 큰 문제는 없을 거라고, H가 위로해 주었지만 찝찝한 기분을 떨쳐내기 힘들었다. 다음 날 면접이 남아있으니 거기서라도 만회해 보자고, 애써 마음을 다잡았다.

면접은 수업 실연보다 훨씬 무난하게, 준비하며 연습해왔던 대로 잘 치렀다. 혹시라도 수업 실연에 영향을 받아서 안 하던 긴장을 하게 될까 봐 걱정했는데 다행이었다. 다만, 결과 발표까지 남은 2주는 '6분 30초의 지옥'이 되었다. 시험이 모두 끝났으니 여유를 좀 가져보려고 해도 그놈의 6분 30초는 시도 때도 없이 일상에 끼어들었다. 차분한 어조로 '선생님, 여기까지만 하셔도 됩니다.'하던 목소리도 함께였다. 어찌나 곱씹어댔는지 꿈에서도 그 장면을 반복할 정도였다.

아무것도 할 수 없어서 괴로웠던 2주가 지나고, 결과 발표일이 되었다. 2차 시험에 대한 기억, 지난 1년간의 기억, 최종 탈락을 확인한 날의 기억, 임용이 전부인 것처럼 나를 다 쏟아냈던 대학 4년간의 기억을 되새김질하다가 밤을 샜다. 무엇이 이렇게까지 임용에 매달리게 했을까. 이렇게까지 교직에 들어가서 뭘 얻고 싶은 걸까. 뚜렷한 답을 찾지는 못했지만, 그렇다고 해서 썩 마음에 드는 플랜B가 생각나는 것도 아니었다. 벼랑 끝에 서 있는 기분으로 성적 조회 페이지에 들어갔다.

그리고 드디어, 긴 이야기에 마침표를 찍었다.

'최종 합격을 진심으로 축하합니다.'

2차 99.5점. 그동안 걱정해왔던 것이 무색할 만큼 감사한 점수였다. 마침내, 새로운 출발선에 섰다.

2부 | 독어교육과 학생

입학

고등학교 시절 외교관이 되고 싶었다. 자세히 말하자면 UN에 들어가고 싶었다. 하지만 성적에 맞게 대학교를 가야 했고, 내신과 모의고사에 치인 나에게 그 꿈은 희미해져 가고 현실적인 목표에 집중하게 되었다. 수도권, 흔히 말하는 인서울을 하기 위해 수시 원서를 작성하였고 논술, 면접 등 시험을 봤지만 모두 낙방하고 남은 곳은 내가 살던 지역의 사범대학교뿐이었다. 사범대학교에 대한 정확한 이해도 없이 고등학교 성적에 따라 나는 독어교육과에 입학 했다.

입학 후에도 임용에 대한 지식도, 미래에 대한 고민도 없이 1학년을 즐기고 군에 입대하였다. 졸업할 때쯤이면 저절로 교사가 되는 줄 알았다. 흔히들 고등학교에서부터 인생을 자세히 배우게 된다고 한다. 고등학교는 철저하게 성적에 따라 내가 가는 대학교가 정해져 있다. 내가 서울대, 연세대, 고려대를 입학하고 싶다고 하더라도 성적이 되지 않으면 입학할 수 없다. 어렸을 때는 부모님에게 어리광을 부리면 과자, 장난감이 주어졌지만 어리광으로 때를 부린다고 해서 대학교에 입학하는 게 아니라 고등학교 3년의 결과로 입학하는 것이다.

아마 대부분의 학생들이 이때 '좌절감'이라는 것을 한 번쯤 경험하게 될것이다. 고등학교에서 이러한 경험을 하고 왔으니 더욱 더 목적의식을 가지고 대학생활을 했어야 하는데, '1년 뒤에 군대 가니까'라는 마법의 문장으로 모든 것을 방어하고 편하게 대학교 1학년 생활을 즐기다가 군대에 입대하였고 전역을 앞두고 군인들이 흔히 하는 생각인 '전역하면 뭐하지?'를 떠올리고 고민하게 되었다.

"우선 멀리 있는 것보다 가까이에 있는 것부터 봐보자."

교사가 되기 위한 고민보다 독일어에 대한 고민부터 해결하기로 하였다. 독어교육과에 입학했지만 독일어 수업을 기피하여 다른 수업을 들었던 나로서는 전공과목인 독일어 과목을 공부해야겠다고 생각했다. 군대에서 조금씩 여유가 생겼던 나는 독일어 공부를 시작했고 그렇게 전역을 했다. 독일어 공부라고 해봤자 기초 독일어 공부였다.

다양한 진로가 존재하는 과

독일어 교사는 10년 동안 임용 티오가 제로였다. 한 명도 뽑지 않는다. 그래서 우리 과에 입학하는 순간 복수전공을 하고 복수전공을 할 때 선택이 나뉘게 된다. 교사에 계속 뜻이 있는 학생들 같은 경우는 국어, 영어, 수학 등 사범대에 있는 과로 복수전공을 신청하고, 일반 취업을 준비하는 친구들은 경영학과, 경제학과 등으로 복수전공을 신청한다. 우리 과에서 복수전공으로 가장 인기 많은 과는 영어교육과였다. 교사를 하고자 하는 친구들은 임용 티오가 많아서, 일반 취업을 하고자 하는 친구들에게는 4년 동안 확실하게 영어를 하니 취업에 유리해서였다.

전역을 하고 나와 같이 입대했던 대학 동기들을 만나고 나서 내 고민은 깊어져 갔다.

"독일어 교사 티오 없는데 어떡하지?"

"너 어디로 복수전공 할래?"

"나는 우선 영어교육과로 복수전공해서 교사 준비를 하고 정 안 되겠으면 영어 공부한 것을 바탕으로 토익 봐야지. 그리고 취업으로 돌리든지 하려고."

"경영학과나 경제학과 가려고. 그쪽으로 가야 취업 시장이 넓어지니까. 나는 교사 안 할 거야. 취업 준비 할래."

다양한 고민들이 있었지만 그들 모두 목적의식이 확고했다. 내가 아무런 정보도 없이 바보처럼 군대에서 독일어 공부를 할 때, 그들은 현실적인 고민을 하고 있었고 그에 대한 결론도 내린 상태였다.

나도 그때부터 복수전공에 대해 알아보고 준비했다. 다른 분야 취업에 대해서는 생각해 본 적이 없었다. 왜냐? 나는 사범대생이니까.

먼저 내가 좋아하는 과목을 생각해 보았다. 흔히 말하는 이과 과목은 제외였다. 문과 출신인 나에게 이과 과목인 수학, 과학은 너무나 큰 산이었다. 남은 과목은 국어, 영어, 사회였다. 영어는 영어교육과 친구들도 힘들어 한다고 하여 손쉽게 제외하고, 국어와 일반사회가 남았다.

일반사회의 장점은 복수전공이 국어보다 상대적으로 쉽다는 것이었다. 내가 다녔던 학교 기준으로 학점 3.0 이상이면 신청이 가능했고 경제학과로 신청하면 자리도 더 많아서 승인이 쉽게 되었다. 경제학과 이외에도 정치외교학과, 법학과, 사회학과 등에서 일반사회 교직 이수가 가능했다. 비사범계열 학생들은 경쟁을 통해 교직이수 처리가 되지만 사범대학생은 경쟁 없이 교직이수 처리가 된다. 정치, 사회를 좋아하는 내가 정치외교학과나 사회학과로 선택을 하지 않고 경제학과로 선택한 이유는 일말의 가능성 때문이었다. 교사가 되지 못한다면 취업을 해야 하는데 졸업증서에 정치외교학사보다는 경제학사가 취업에 도움이 될 것 같아서였다. 일반사회의 단점은 국어보다 임용 티오가 적다는 것이었다.

국어의 장점은 임용 티오가 상대적으로 많다는 것이었다. 대신 복수전공 승인 학점이 3.8점으로 일반사회 교과보다 높았다. 학점의 소수점 단위까지 중요하던 때에 나는 큰 실수를 이미 저질렀었다.

2월 전역이었던 나는 수강신청을 할 때 1학년 때 듣지 않았던 전공 독일어 수업을 모조리 신청하였고 무려 전공 과목이 5과목이나 되었다. 1학년 때 전공 독일어 수업을 듣지 않았기 때문에 1학년 수업을 메우려고 신청하였다. 그리고 사범대 학생들의 필수과목인 교직과목을 2과목 신청하였다. 전공 5과목과 교직 2과목을 한 번에 듣게 된 것이다.

독일어교육과의 특성상 전공과목을 수강하는 인원은 강좌당 11명~15명 정도였고, 여기에서 A학점을 받는 인원은 30%뿐이었다. 즉, 3~4등 안에 들어야 A학점 이상을 받을 수 있다는 것이었다.

A를 받기 위해 나름대로 노력했지만, 1학년 때부터 독일어 공부를 하고 강의를 듣는 후배들과 경쟁하기에는 기초가 너무 부족했다. 그래서 복수전공을 일찌감치 생각한 친구들은 2학년 때까지는 전공과목을 최소화하고 교양과목을 수강한다. 교양과목이 수준이 낮다는 것은 전혀 아니다. 전공과목에 비해 교양과목 수강생 수가 많아서 상대적으로 높은 학점을 가져가기에 유리하기 때문이다.

임용 티오가 많은 국어로 복수전공을 하고 싶었지만 미리 대비하지 못한 나는 일반사회를 선택했다.

부록 3 | 복수전공과 부전공

정쌤 : 저는 학교에서 학생들에게 복수전공을 적극 추천합니다. 같은 등록금으로 학위는 2개를 취득할 수 있거든요. 복수전공을 간단히 설명하면 대학에 재학 중인 학생이, 해당 대학에 입학했을 때 선택한 전공 이외에 추가로 1개 이상의 전공 과정을 더 이수하는 것을 말합니다.

김쌤 : 그렇다면 복수전공와 부전공의 차이점은 무엇인가요?

정쌤 : 복수전공과 부전공은 서로 다른 개념입니다. 부전공과 복수전공의 가장 큰 차이는 '학위'를 하나 더 받을 수 있느냐 아니냐 하는 것으로, 복수전공을 이수할 경우 주전공 학위 외에도 복수전공 학위를 더 받을 수 있지만, 부전공을 이수할 경우에는 추가적인 학위를 받을 수 없고 오직 주전공 학위만 취득할 뿐입니다.

김쌤 : 맞아요. 정쌤같은 경우에는 복수전공을 해서 학위증서가 2장(전공, 복수전공)이고 저는 부전공을 해서 학위증서는 1장(전공)이에요.

정쌤 : 복수전공을 늦게 신청하게 되면 그에 비례해서 졸업도 늦어집니다. 각 학교별로 이수해야 하는 학점이 다르지만 일반적으로요. 그러므로 무난하게 졸업하려면 2학년 1학기 정도에 신청해서 복수전공 승인이 되는 게 이상적입니다.

김쌤 : 2학년 1학기에 복수전공을 신청하려면 어떤 준비가 필요하죠?

정쌤 : 평균학점으로 승인이 되기 때문에 1학년 때 학점관리를 잘해야 합니다. 인기 있는 과 같은 경우에는 평균학점이 높기 때문에 학점관리를 더욱더 잘해야겠죠. 여기에서 중요한 것은 교직과정을 이수 중이거나 사범대학 자체를 주전공으로 하는 학생이 아닌 이상 사범대학을 복수 전공할 수 없다는 것입니다.

김쌤 : 일반대학생이 사범대학으로 복수전공이 안된다는 말씀이시죠?

정쌤 : 네 맞습니다. 하지만 사범대 학생은 일반계열로 복수전공이 가능합니다.

방학 때마다 자격증을 취득해야 하는 사범대생 (부제: 나도 하면 된다)

경제학과로 복수전공을 선택한 이유는 앞서 말한 것처럼 임용 시험 및 취업 때문이었다. 그러나 4학년 때부터 준비하는 임용 시험만 바라보고 있기에는 미래가 불투명해 보였다. '취업 준비를 안 하고 있다가 진짜 임용 준비에 뛰어들어야 할 때 교사가 아닌 다른 직업을 선택하고 싶어지면 어쩌나'하는 생각이 문득 들었기 때문이다.

복학한 후 1학기 때 기대했던 것보다 성적이 너무 안 나왔다. 더 좌절하게 된 이유는 나름 엄청나게 열심히 했기 때문이다. 부족한 독일어를 따라가기 위해 학교 수업이 끝나자마자 도서관에 가서 공부를 하고 리포트를 썼다. 일부러 모든 과목을 1교시에 맞춰서 고등학교 등교하는 것처럼 아침에 빨리 일어나 버스 지옥을 버티고 등교하여 저녁까지 공부하고 집으로 왔다. 이렇게 했는데도 원하던 만큼 성적이 나오지 않았고 큰 충격을 받았다. 2학기에 반전이 필요하다는 생각이 들었고 방학을 즐기고 충전하기보다는 2학기를 대비하는 시간을 가지기로 다짐하였다.

나태하게 방학을 보내기 싫어서 우선 취업에 필요한 것들을 준비해보기로 했다. 임용시험에 대한 대비는 2학년이었기 때문에 너무 이르다는 생각이 들었다. 그리고 이때만 해도 성적을 향상시켜 국어교육과로 복수전공을 변경하려고 생각하고 있었기 때문에 사회 전공 공부에 대한 필요성도 느끼지 못했다. 그래도 임용에 대해 뭔가 도움이 될만한 것을 하고 싶었고 나는 한국사 자격증 취득 준비를 했다. 임용시험 응시 자격이 3급 이상이었기 때문에 한국사 고급(1,2급)을 목표로 공부하였다. 취업 공부를 하고 있는 친구들을 보면 한국사는 기본 스펙으로 가지고 있었기 때문에 취득해놓으면 일석이조가 될 것이라고 생각했다. 그리고 워드프로세서 1급 준비도 했다. 필기는 수월하게 합격했는데 실기 과목이 공부할 게 많았다. 방학 때도 꾸준히 학교 도서관에 가서 공부를 했고, 내가 준비하던 것들에서 합격 소식이 한곳, 두곳 들리자 뭔가를 이루어 나가고 있다는 생각을 가지게 되었다. 조금씩 보람과 성취감을 느꼈고 2학기에 들어서는 참으로 오랜만에 공부에서 성취감을 느꼈다.

마지막으로 성취감을 느꼈던 때는 중학교 때인데 학원 선생님께서 국어 100점을 맞으면 내가 좋아하는 축구선수의 자서전을 사준다고 하셨다. 나는 데이비드 베컴을 좋아했고, 베컴의 자서전을 꼭 가지고 싶었다. 결국 100점을 맞지는 못했고 97점을 맞았다. 하지만 선생님께서는 자서전을 사주셨다. 그 이유는 97점 이상의 점수가 없었기 때문이었다. 시험이 어려워 한 문제 틀린 내가 전교 1등을 하게 되었던 것이다.

이런 성취감을 잊고 살았었는데 다시 맛보게 되어 정말 달콤했다. 복학하자마자 좌절을 맛본 내가 그대로 포기하여 여름방학을 나태하게 보냈다면 이런 성취감을 느끼지 못했을 것이다.

성취감을 느끼자 '취업을 하는 것도 괜찮을 거 같은데?'라고 생각하게 되었다. 지금 생각해보면 스펙을 점점 갖추게 되어 자신감이 엄청났던 것 같다. 대학교 4년 동안 처음으로 임용시험보다 취업에 대해 긍정적으로 생각하였다.

지금 생각해 보면 소소한 성취감이 한 사람의 자신감에 얼마나 큰 영향을 주는지 알게 되는 대목이다. 하지만 이러한 생각은 곧바로 바뀌게 되었다. 임용시험은 합격 점수라는 게 존재했고 그 점수에 따라 합격, 불합격 여부를 알 수 있었지만 취업이라는 것은 회사에서 원하는 스펙, 자기소개서 등 점수로 나타내기에는 불투명한 것들이 많아 보였기 때문이다.

이 시기에 내가 얻었던 것은 '나도 하면 된다'라는 자신감이었다. 내가 가고 싶은 학교, 가고 싶은 학과가 있었지만 경쟁에서 밀리고 나름 군대에서부터 대학 생활을 대비해왔지만 복학하자마 좌절을 맛본 내게 '나도 할 수 있다. 나도 하면 된다.'라는 것은 큰 힘이 되었다.

내가 다른 사람보다 부족한 것이 아니라, 내가 준비를 안 한 것이었고 몰라서 안 한 것이었다. 하지만 알게 되면 나도 할 수 있다.

임용 시험에 대한 안일한 마음

안일한 마음으로 입학했고 안일한 마음으로 복학했다. 그리고 임용 시험도 안일하게 생각하였다. 임용 시험을 봐야겠다는 생각은 하고 있었지만 4학년 때부터 준비하면 되는 줄 알았다. 나는 '학교 수업을 들으면서 어떻게 고시 공부를 해?'라는 마인드였다. 지금 생각해보면 참 부끄러운 생각을 가지고 있었다.

사범대학교 입학 → 1,2,3학년 전공과목 수강 → 4학년 때 임용준비

이게 내가 생각했던 사범대학교였다.

하지만 임용 티오, 임용 시험 방식 등 시시각각 변하는 임용에 대한 정보를 업데이트하지 못했다. 주변에 대화하던 친구, 선배들이 대부분 임용 시험 준비가 아닌 취업 준비를 해서 그렇다고 변명해 본다.

교사가 되고 싶었다면 치밀하게 준비하고 대비를 해야 했는데 나는 그러지 못했다. 일반사회 복수전공을 하면서도 중간중간 국어교육, 특수교육, 상담심리 등

흔히 말하는 티오가 좋다는 과목들의 복수전공에 관심이 있었다. 하지만 생각만큼 성적이 오르지 않아 복수전공 승인이 되지 않았다. 상담심리 같은 경우에는 3학년 2학기에 신청을 했고 승인도 받았지만 졸업이 너무 늦어질 거 같아서 취소했다.

확고한 목표를 가져도 힘든 임용시험에 뜬구름 잡는 듯한 목표를 가진 나의 미래는 먹구름이 드리워졌다. 일반사회 복수전공을 듣는 나의 대학 생활은 교사가 되기 위한 준비보다는 현실에 대한 자기 변명을 하며 아무 의미 없이 지나갔다.

졸업하기에 앞서 4학년 때 나갔던 교생실습을 통해 나는 교사가 되고 싶다는 생각을 더욱 확고하게 하게 되었다. 대부분의 예비 선생님들께서 느끼는 학생들과의 정(情), 교사 선배님들의 배려 때문이었다. 하지만 복수전공 때문에 코스모스 졸업을 하게 된 나는 시간이 많이 남았다고 자위하였다.

졸업을 앞두고 임용시험에 대한 정보를 수집했다. 8월에 졸업하고 난 뒤 공부를 해봤자 11월까지 4개월 공부. 답이 없어 보였다. 그렇다면 올해 시험은 연습 삼아 보고 내년 11월까지 공부해서 시험 봐야겠다고 생각을 하던 중 지인을 통해 기간제 교사를 알게 되었다. 사범대학생이 기간제 교사를 이때 처음 들어보았다. 정말 부끄럽다.

두 번째

현직 교사의 시선

3부 | 정교사

살면서 한 번은

중등 신규교사 임용예정자 직전 연수 5일 차. 오후 4시.

5일 내내 다소 빡빡하게 진행되던 신규 연수가 거의 끝나갈 무렵이었다. 연수의 마지막 순서로 교원 단체에 대한 안내가 진행되고 있을 때, 때아닌 웅성거림이 넓은 강당을 뒤덮었다.

"떴어요."

"진짜? 어디?"

"홈페이지 들어가 보래요."

목소리를 한껏 낮춰 소곤소곤 떠들었으나 350명이 넘는 사람들이 동시에 속닥거리고 있다는 것이 문제였다. 무시할 수 없을 정도의 소음이었다. 당황한 강사님을 대신해서 지켜보던 담당 연구사님이 마이크를 들었다.

"선생님들, 지금 신규교사 발령 공고 때문에 그러시는 거죠? 마지막 강의 얼마 안 남았으니까요. 지금은 집중해 주시고 나중에 확인하시기 바랍니다."

신규 발령. 어쩌면 연수생들이 5일 내내 가장 고대했을 순간이었다.

발령 희망원을 작성할 때까지만 해도 '집에서 가까운 지역이 어디인가, 중학교와 고등학교 중에 선택할 수 있다면 어디로 갈 것인가'하는 문제들에 관심이 있었지만, 발령 공고를 확인하고 난 후에는 딱 한 가지 문제로 집중되었다. '배를 타야 하는 곳인가, 아닌가'로. 그해 3월 발령이 난 국어과 신규들은 하나같이 출근길이 매우 길고 험하기로 소문난 기피 지역에 배정되었다. 배를 타지 않으려면 아주 운이 좋아야 하는 지역들이었다. 이로써 성적이 좋으면 선호도 높은 지역에 배치해 준다는 소문은 뜬소문이었음이 확인되었다.

내 발령지 역시 기피 지역이긴 마찬가지였으나 다행히도 개중에는 운이 아주 좋은 편이었다. 섬 발령이었지만 다리가 놓인 곳이라 배를 타지 않고도 출근할 수 있었다. 대중교통을 이용하더라도 두 시간 안에 갈 수 있는 거리였다. 연고가 전혀 없는 지역에서의 관사살이나 면허 취득, 자차 구매 등 생각할 일이 많았지만, 발령받은 학교에 첫인사를 하기 위해 시외버스를 타고 바다 위에 놓인 다리를 건너갈 땐 약간 설레기까지 했다. 상상하던 그림과는 조금 다를지라도 어쨌든 새로운 출발선에 섰다는 사실이 선명하게 느껴졌기 때문이다.

읍에 있는 터미널에 내려서 잡아탄 택시는 산을 둘러싼 좁은 도로와 조그마한 마을을 지나친 후, 허허벌판 한가운데 외롭게 자리한 학교 정문에 섰다. 정문 바깥쪽으로 보이는 것이라고는 학교와 같은 이름의 버스 정류장 표지판, 도로, 그리고 겨울이라 흙밖에 남지 않은 넓은 들뿐이었지만, 정문을 지나자 꽤 큰 체육관 건물과 넓은 운동장이 보였고, 운동장을 너머로 우뚝 선 학교 건물은 기대했던 것보다 훨씬 크고 깨끗했다.

기대와 설렘, 그리고 약간의 긴장감을 가지고 들어선 교무실엔 이미 많은 선생님들이 와 계셨다. 발령 시즌이라 그런지 전입 오신 선생님들, 전출 가실 선생님들이 모두 한 자리에 모여 북적북적한 분위기였다. 교장, 교감 선생님께 인사를 드린 후, 교무실 뒤편의 테이블에서 다른 선생님들과 잠시 이야기를 나누었는데, 모두 따뜻

하게 맞이해주셔서 조금 안심이 되었다. 교장 선생님도 테이블에 합류하셨는데 생각했던 것보다 훨씬 편안한 분위기였다.

다른 학교로 전근 가시기 전 마지막으로 출근하셨다는 교장 선생님께서는 유쾌하고 입담이 좋으신 분이셨는데, 육지에서 가장 멀리 떨어진 섬에 근무하셨을 때의 에피소드를 몇 개 들려주셨다. 그러다 대뜸 신규들에게 질문을 던지셨다.

"선생님들은 임용 볼 때 여기로 오게 될 거라고는 생각 못 하셨죠?"

임용에만 매달렸던 대학 시절에도, 절박한 마음으로 재수를 할 때도, 이 지역에 응시 원서를 내던 순간에도, 심지어 이곳이 살면서 한 번은 섬에 들어가야 하는 곳이라는 이야기를 들었을 때마저도 내가 바로 그 '섬 근무자'가 될 수도 있다는 생각은 해보지 않았다. '설마 나는 아니겠지'하는 안일한 마음 반, '합격만 시켜 주면 어딘들 못 가겠나'하는 절박한 마음 반이었다. 그래서 처음 발령지를 확인했을 때는 조금 당황스러웠다. 그러나 금세 낙관적인 마음이 되었다. 대학을 졸업할 때까지 평생을 한 지역에서만 살았던 우물 안 개구리로서, 대학

새내기 때 그토록 꿈꿔왔던 '경험의 확장'이라는 걸 실현시킬 기회가 드디어 온 것이다.

나는 그냥 솔직하게 대답했다.

"아무래도 한 번도 와 본 적이 없는 지역이라서요. 오기 전에는 조금 걱정도 했었는데, 와서 보니까 오히려 더 안심도 되고 기대도 되네요."

"다행이네요. 학교가 생각보다 크죠? 지금이야 다 줄어서 교실보다 특별실이 더 많지만 예전에는 학생 수가 엄청 많았었다고 그래요. 학생 수에 비해서 건물이 크니까 교과실도 과목별로 마련되어 있고 시설이 잘 되어있어요. 시설 측면에서는 여기서 지내는 것도 생각보다 괜찮아요. 이따가 한번 천천히 둘러보세요."

"네. 감사합니다."

"그리고 출퇴근하는 것도 그나마 괜찮은 편이지. 다리가 놓여 있으니까 차만 있으면 왔다 갔다 할만해요. 자차들은 있으신가?"

"아니요, 아직은 없습니다."

"저도요."

발령 동기인 역사 선생님은 나와 같은 지역에 살고 계셨는데 둘 다 차가 없었다. 덕분에 나란히 버스를 타고 출퇴근길을 함께할 예정이었다.

"그래도 집이 환승 안 하고 한 번에 갈 수 있는 쪽이라서 다행이네. 이번에 같이 합격한 다른 분들은 어디로 발령나셨어요?"

"대부분 배타고 들어가는 섬이더라고요."

"아이고, 힘들겠네. 그래도 어떻게 생각하면 차라리 일찍 갔다 오는 게 나을 수도 있어요. 뭣 모를 때 가서 섬 점수 채워버리고 나오면 다시 안 들어가도 되니까. 지금 승진 생각이 없더라도 사람 일은 모르는 거니까 일단 받아 놓는 것도 나쁘지 않지. 나중에 진짜 필요해서 들어가려고 하면 가정도 있고, 애도 있고, 섬에 선뜻 들어간다고 하기가 쉽지 않은가 보더라고요."

섬이 워낙 기피 지역이다 보니 섬 근무자들에게 승진 가산점이 부여되는 모양이었다. 살면서 한 번은 섬에 들어가야 한다는 말이 어떤 의미였는지 어렴풋이 짐작됐다.

이야기를 듣고 계시던 다른 선생님이 말씀하셨다.

"맞아요. 작년에 우리 학교에 발령받은 선생님 중 한 분이 올해 다른 곳으로 가시는데, 여기서 배 타고 들어가야 하는 섬으로 가시거든요. 이왕이면 여기 있을 때

섬으로 가고 싶다고 자진해서 관내 내신 쓰셨어요. 여기로 신규 발령 나서 4년 동안 만기 채우고 다음 학교를 섬으로 가시는 분들도 꽤 있고요. 그런 거 보면 처음부터 섬으로 발령 나는 것도 꼭 나쁘지만은 않은 것 같아요."

차로 출퇴근할 수 있는 이곳에 발령이 나서 운이 좋았다고, 다행이라고만 생각했었는데 이 지역에서 교사 생활을 계속하다 보면 나도 언젠가 자진해서 섬에 들어가게 될지도 모를 일이었다. 어쩌면 정말, 멀지 않은 미래에 자의 반, 타의 반으로 섬에 들어가는 배에 타고 있을지도 모른다는 생각을 하니 복잡한 마음이 들었다.

부록 4 | 교사의 직급 구조

정쌤 : 교장, 교감을 포함한 교육공무원은 일반직 공무원과 달리 직급 구분이 없으며 직위 구분만 존재합니다. 그래서 상당히 수평적인 구조를 가지고 있습니다. 직위는 교사, 수석교사, 교감, 교장으로 나누어져 있습니다. 이러한 직위 이외에도 교육청에서 근무하는 장학사, 장학관 그리고 연구원에서 근무하는 교육연구사 등이 있습니다.

Q. 어떻게 하면 승진할 수 있나요?

김쌤 : 국가법령정보센터에 교육공무원승진규정에서 확인할 수 있지만 이를 간단히 요약하면 경력평정, 근무성적 평정, 연수 연구성적 평정, 가산점의 점수로 승진을 할 수 있습니다.

Q. 장학사나 교육연구사는 어떻게 되나요?

김쌤 : 교사 가운데 일정 경력자를 대상으로하는 교육 전문직원 전직 시험을 거쳐 장학사나 교육연구사를 선발하고 있습니다. 각 시·도별로 경력 산출 연차가 상이합니다.

첫 업무

사람들은 연말, 연초에 의미를 부여한다. 지나온 해를 잘 정리하여 갈무리하고 더 나은 한 해를 시작하기 위한 준비를 하는 시기이기 때문이다. 12월 31일이나 1월 1일이나 해는 똑같이 뜨겠지만 거기에 '끝', '시작'과 같은 의미가 붙으면 괜스레 무언가를 더 하게 된다. 그래서 주변을 한 번 더 돌아보고, 그동안 전하지 못했던 안부를 전하고, 이런저런 목표와 계획을 세워 보는 것이다. 어떤 일의 끝과 시작이란 이렇게 바쁘고 분주하다.

2월이면 연말 연초의 분주함이 한풀 꺾이고 다시 일상의 안정이 찾아들 시기이지만, 학교의 2월은 안정과는 거리가 멀다. 초, 중, 고, 대학까지 한국에 있는 학교라면 어디든 3월에 새 학기가 시작하기 때문에, 학교의 2월은 또 다른 연말인 셈이다. 게다가 일반적인 회사와 달리 공립학교의 2월은 관리자, 교사, 학생이 모두 바뀌는 시기이기 때문에 새 학기를 준비하기에 앞서 서로 인사를 나누고 손발을 맞춰가는 시간도 필요했다.

이제 막 교직에 발을 들인 사람으로서, 여태까지의 2월을 그저 '방학의 달'로 살아왔던 나는, 첫 학교 첫 방문의 목적을 '인사를 드리는 것'이라고만 생각했다. 그러나 이미 교사로서 학교의 2월을 숱하게 겪어 본 모든 선배 교사들은 아직 관사 배정도 못 받은 신규가 학교에 다녀가려면 왕복 4시간 동안이나 버스를 타야 한다는 것을 누구보다 잘 알고 계셨고, 때문에 학교에 처음 방문한 그날, 되도록 모든 것을 결정해두려고 했다.

섬 이야기로 채워진 잠시 간의 티타임이 끝난 후, 본격적인 그날의 일정은 면담으로 시작되었다. 수석 교사 선생님과 아무것도 모르는 신규 2명의 면담이었다. 모르는 것이 있으면 언제든 물어보라는 따뜻한 배려의 말씀과 함께 화기애애하게 시작된 면담은 전혀 예상하지 못했던 방향으로 흘러갔다.

"선생님은 교사가 완전히 처음이신 거죠?"

"네."

"기간제 경험도 없으시고요."

"네. 처음이라서 부족한 점이 많겠지만 잘 부탁드립니다."

"그러면 질문을 하나 드릴게요. 어떤 학생이 선생님 수업 시간에 엎드려 자고 있어요. 어떻게 대처하실 건가요?"

갑자기 임용 2차 시험장으로 돌아간 기분이었다. 당황스러웠지만 면접을 준비하면서 숱하게 연습했던 질문이기도 했다.

"일단은 가서 깨워 봐야죠."

"두 번 세 번 계속 깨웠는데도 자꾸만 다시 엎드려요. 그러면 어떻게 하실 건가요?"

"그러면 수업이 끝나고 따로 이야기하면서 이유를 들어봐야죠. 이유가 무엇이냐에 따라서 대처가 달라지지 않을까요?"

"아이를 따로 불렀는데 오지 않으면요?"

"음…… 그러면 제가 찾으러 가야죠."

"선생님이 찾아가서 대화를 시도했더니 아이가 화를 내면서 책상을 발로 차요. 그리고 복도로 뛰쳐 나가서 창문을 깼어요. 그러면 어떻게 하실 건가요?"

번갈아 대답을 하던 나와, 다른 한 명의 신규 선생님은 당황해서 서로 마주 보았다. 수업 시간에 자꾸 엎드리는 아이에게 대화를 시도하겠다고 이야기한 것뿐인

네 왜 이런 극단적인 상황이 튀어나온 걸까? 수석 선생님은 무엇 때문에 이런 질문을 하신 걸까? 수석 선생님은 곤혹스러워 하는 두 신규의 표정을 잠시 지켜보시다가 화제를 돌리셨다.

"당황스러우셨죠? 이제 선생님들 업무를 정해야 해요. 다른 분들은 거의 정리가 됐구요. 교무부에 두 자리가 남아 있는데, 한 자리는 담임, 다른 한 자리는 비담임이에요. 담임을 맡게 되면 반을 관리해야 하는 대신 업무는 좀 작고요, 비담임은 반대라고 생각하시면 됩니다. 음…… Y 선생님은 전에 학교에서 근무하신 적이 있다고 하셨는데, 담임이셨나요?"

"담임은 아니었어요. 그냥 잠깐 근무했습니다."

"그래요. ……그럼 이번에 담임을 해보시는 건 어떠세요?"

"음, 처음이긴 하지만 맡겨 주시면 해보겠습니다."

수석 선생님은 업무 분장표를 살펴보다가 나를 보고 말씀하셨다.

"선생님은 어떤 업무를 해보고 싶으세요?"

당시 나는 '교사의 업무'에 대해서는 백지상태였다. 학부 시절 들은 교직실무 과목에서 다루는 내용이나,

임용 면접 때 준비하는 실무 관련 내용은 극히 일부분에 불과했다. 담임, 비담임 중에 더 잘 아는 것을 고르라면 그나마 담임이었지만, 그마저도 거시적인 관점에서 학급 경영 계획을 세워보고 몇 가지 갈등 상황에 대한 대처를 생각해 본 정도였지, 담임이 챙겨야 할 모든 일들을 다 안다고 할 수는 없었다. 그래서 '어떤 업무를 해보고 싶냐'는 질문은 당시 나에게 별 의미가 없었다.

"저는 담임도 비담임도 처음이라서요. 어떤 업무든 맡겨 주시면 열심히 해보겠습니다."

"그래요. 남은 자리는 2학년 담임이랑 수업계인데, 그럼 Y 선생님이 담임, 선생님이 수업계를 맡으시는 걸로 정리해도 될까요?"

수업계는 수업 시간표를 짜는 업무라는데, 왜 담임과 함께 맡을 수 없는 '큰 업무'라고 하신 건지, Y 선생님이 맡은, 이름부터 거창한 '거점 학교' 업무는 담임과 같이 할 수 있을 만한 일이 맞는지, 면접 같은 질문의 의도는 무엇이었는지. 무엇 하나 결론을 내리지 못했지만 Y 선생님과 나는 순순히 동의했다.

그렇게 두 신규가 보낼 1년의 향방이 결정된 후에도 그날의 일정은 쉴 틈 없이 돌아갔다. 곧바로 이어진 교직원 회의에서는 업무 분장 발표를 시작으로 수많은 안건들이 언급되고, 결정되었다. 나는 회의의 참여자로 그 자리에 있었으나, 안건에 대해 의견을 보태기는커녕 내용을 파악하기에 급급했다. 당장 1,2주 후면 학교의 일원으로서 다른 선생님들과 발맞춰 학사를 운영해 나가야 했는데, 업무 내용조차 제대로 숙지하지 못한 상황에서 잘해나갈 수 있을지 걱정이 되었다.

다행히 다음 일정은 업무 인수인계였는데, 두 시간가량의 인계를 통해 내가 맡을 업무가 무엇인지 대략적으로나마 파악할 수 있었다. 수석 선생님의 말씀처럼 수업 시간표를 짜는 것이 수업계의 업무 중 하나이긴 했으나, 이 자리의 가장 중요한 업무는 수업 시수를 관리하는 것이었다. 법정 수업일수에 맞게 학사가 운영되는 동안, 모든 학년, 모든 학급이 필요한 시수를 모두 이수할 수 있도록 시간표를 작성하고 결보강을 관리하는 업무였다. 배워야 할 것이 너무나 많았다. 시간표를 작성하려면 교육과정 편제표를 읽는 법부터 알아야 했고, 과목별 교사가 0~1명 뿐인 데다 출장이 잦은 소규모 학교의 특성 상 결보강 처리가 까다로운 편이라 보강 처리 시 유의할 점도 알아두어야 했다. 수업계 업무는 나이스 시스템과 연계된 부분도 많아서 나이스 사용법도 새로 배워야 했다. 게다가 수업계 자리에 학적계 업무, 독서·토론·글쓰기 교육과 관련된 국어과 업무, 기타 자잘한 교무부 업무들이 추가로 붙어 있어서 기본적인 것들만 인계를 받는 데도 시간이 꽤 걸렸다. 인수인계를 받고 나니 '만약 내가 이 업무에 담임까지 겸했다면 꽤 헤맸겠구나' 하는 생각이 들었다.

복잡한 인수인계가 끝나고, 뭘 적는지도 모른 채 쉴 틈 없이 받아적은 메모지와 업무 관련 자료가 든 USB, 수업 준비를 위한 교과서, 지도서를 든 채 집으로 돌아가는 버스에 탔다. 같은 지역에 사는 Y 선생님도 함께였다.

집으로 돌아가는 2시간 내내 Y 선생님과 이야기를 나눴다. 발령 동기이면서 같은 부서, 옆자리에 앉게 된 사이이자 한 관사에서 같이 살게 된 사이라 이야깃거리가 끊이질 않았다. 버스 안에서의 대화를 통해 우리를 당황스럽게 했던 그 면담 질문의 전말도 알게 되었다. 모두 이 학교에서 실제로 있었던 상황이었고, 창문을 깬 그 아이는 Y 선생님의 반이 되었다고 했다. Y 선생님은 그저 그 아이를 걱정하는 말뿐이었지만, 앞으로의 1년이 Y 선생님에게 결코 편안하지만은 않을 예정이었다. 나에게 학교 경력이 있었다면 지금 그 아이를 걱정하는 말을 하는 사람은 Y 선생님이 아닌 내가 되었을지도 모를 일이었다. 괜히 미안한 마음이 들었다.

끝을 모르는 수다는 업무 이야기, 학급 운영에 대한 이야기, 관사 이야기, 수업 이야기를 거쳐 임용시험까지 갔다. 임고생 시절 이야기들, 각자 연수원에서 들은 이런저런 임용 썰들을 주고받다가 발령 이야기가 나왔다.

"국어과는 몇 명이나 발령났어요?"

"이번에 아홉 명 났어요."

"얼마 안 났네요. 다들 좋은 데로 가셨어요?"

"아니요. 거의 다 배 타야 된대요. 그나마 제가 운이 좋았죠."

"몇 명이나 섬 발령인 거예요?"

"일곱 명? 여덟 명? 진짜 거의 다 배 타고 가신다

고 들었어요. 선생님 과는요?"

"저희 과는 이번에 발령 난 사람들 거의 배 안 탈걸요. 제가 좀 멀리 떨어진 편이에요. 그런데 일고여덟 명이면 심하다. 선생님이 진짜 발령 잘 받으셨네요."

"맞아요. 제가 배멀미가 심해서 배 타고 들어가는 섬이었으면 진짜 힘들었을 것 같아요. 그런데 오늘 아침에 교장 선생님 말씀 들으니까 나중에라도 한 번은 섬에 들어가야 하나 싶더라고요."

"그런데 섬은 정말 힘들대요. 섬 발령 때문에 다른 지역으로 재임용 생각하는 사람들도 있대요."

"재임용이요?"

"네. 저희 과에도 준비하신다는 분 계셨어요. 섬 발령은 아닌데, 원래 가고 싶은 지역이 따로 있으셨나 봐요. 시험 본 지 얼마 안 됐을 때 바로 준비해야 된다면서 올해 또 볼 거라고 그러시던데요."

"진짜 많이들 도전하시나봐요. 저는 공부했던 책 쳐다보기도 싫던데."

"저도요. 일하면서 공부할 시간도 없을텐데. 그래도 한 번쯤은 도전해 볼 만 한 것 같아요."

어쩌면 Y 선생님 지인의 말처럼 합격한 그 해가 재

임용 성공의 마지막 기회일 수도 있었지만, 아직 발령받은 학교가 개학도 안 한 시점에서 재임용을 생각하고 싶지는 않았다. 물론 얼마 전까지 하루종일 끼고 살던 책들이 꼴보기 싫은 것도 사실이었다. 이때까지만 해도 나는 멀지 않은 미래에 내 손으로 그 책들을 관사로 가져오게 될 줄은 꿈에도 모르고 있었다.

부록 5 | 교사의 업무란?

김쌤: 크게 학습지도와 생활지도, 행정업무로 구별해서 이야기합니다. 학습지도는 수업과 평가를 비롯한 교과와 관련된 모든 업무를 의미하구요. 생활지도는 학생의 생활 태도와 진로 선택에 대해 정보를 제공하고 상담을 하는 일들입니다. 또 학교는 공공기관이기 때문에 행정업무들이 교육청 등 상급기관에서 공문으로 내려옵니다.

정쌤: 담당 교과업무 이외에 행정관련 업무를 한 가지 이상 담당하기에 보통 두 가지를 맡게 됩니다. 예전같은 경우는 두 가지 업무에 더해 담임업무까지 맡게 되는 경우가 있었는데요. 지금은 업무 경량화를 위해 행정업무와 담임업무를 가능한 나누려고 하는 추세입니다. 더 세부적으로 보면 학습지도를 할 때 정성적 측면과 정량적 측면에서 평가를 하기도 하고, 학생의 진로진학지도를 하며, 수시로 학생 및 학부모와 학생의 생활태도 및 상담을 하기도 합니다.

김쌤: 맞아요. 또 학교의 교육과정과 수업, 평가와 생활기록부의 연계가 강조되는 추세이기 때문에, 교육과정과 수업, 평가를 계획하는 단계에서부터 섬세하게 짤 필요가 있고, 평소에도 학생의 학업 수행 과정을 잘 관찰하여 기록해야 합니다.

정쌤: 그리고 업무에 관해 재미있는 내용이 있는데요. 교사는 출근시간이 8시 30분이면 퇴근시간은 16시30분입니다. 8시간이죠. 그런데 다른 공무원들 같은 경우는 8시30분 출근하면 17시30분 퇴근합니다. 9시간이죠.

김쌤: 왜 이런 차이가 나는 걸까요?

정쌤: 교육법으로 교사들은 학생들이 급식을 먹는 점심시간에도 근무시간으로 인정하고 있어서입니다. 이유는 단순합니다. 점심시간 때 일어날 수 있는 학생들의 모든 상황과 사건, 사고들을 관리해야 할 의무가 있기 때문입니다.

김쌤: 네. 그래서 교사의 업무는 학교에서 일어나는 모든 것이라고 해도 무방합니다.

우연히 들어선 길

솔직하게 고백하자면, '교사가 되고 싶어서', 혹은 '아이들이 좋아서'와 같은 이유로 그토록 절박하게 임용에 매달렸던 것은 아니었다. 최소한의 수면 시간마저 줄여가면서 꾸역꾸역 버텨내고 스스로를 다독였던 나날에, 분명 마음 한켠에는 '합격만 하면 지금보다는 편해지겠지.'라는 생각이 자리하고 있었다.

3월 셋째 주, 합격의 기쁨도 점차 옅어지고 이제는 자리를 잡아가야 할 시기였다. '합격만 하면 지금보다는 편해지겠지.'라던 생각은 '나는 도대체 언제쯤 편해질 수 있나?'로 바뀌어 있었다. 본가에서 관사로 장소가 옮겨졌을 뿐, 여전히 새벽 2시가 훌쩍 넘은 시간에 노트북 앞에 앉아 있는 일이 허다했다. 하나 더 달라진 게 있다면 깨어 있는 사람이 둘이라는 것이었다.

"됐다, 저 수업 준비 다 했어요. 이제 잘 거예요."

식탁 맞은 편에서 똑같이 피곤한 얼굴로 자판을 두드리고 있던 Y 선생님이 결연한 표정으로 말했다.

"3학년 끝났어요? 1학년은요?"

"몰라요, 안 할래요. 자고 일어나서 하던지 해야겠어

요. 나는 너 못 해."

식탁 위에 펼쳐진 교과서며 노트북, 인쇄된 자료들을 대충 한쪽으로 밀어 넣은 후, Y 선생님이 몸을 일으켰다. 방으로 향하는 한 걸음 한 걸음에서 피곤이 뚝뚝 묻어났다.

"선생님도 그만하고 빨리 자요."

"안 돼요. 저 아직 2학년 수업 손도 안 댔어요. 잠잘 자격도 없어."

"어휴, 적당히 하고 얼른 자요. 저는 먼저 잘게요."

대충 손을 흔들어 주고 다시 노트북 화면을 들여다봤다. 한숨이 절로 나왔다. 개학 전까지만 해도 미지의 영역인 '업무'에 대해서만 걱정하고 있었던 나는, 이미 다 안다고 생각했던 수업을 준비하는 데 이렇게나 많은 시간이 필요할 줄 몰랐다. 전공서와 지도서를 함께 봤기 때문에 수업만큼은 능숙하게 해낼 수 있을 줄 알았는데, 혼자만의 착각이었다. 교사가 전공에 대해 아무리 잘 알고 있다고 한들, 그것은 그저 교사의 지식일 뿐이다. 내가 할 줄 아는 것을 아이들도 할 수 있게 하려면 그들의 눈높이에 맞춘 경험의 제공이 반드시 필요했다.

대학 시절 내내 학원과 과외를 전전하며 아르바이트를 해온 덕에 학습 내용을 알기 쉽게 설명하고, 기억에 잘 남도록 강조하는 화술에는 어느 정도 익숙해져 있었지만, 그것만으로 학교 수업을 이끌어 갈 수는 없었다. 이제 막 교직에 첫발을 들인 신규일 뿐이었지만, 내 수업관에 비추어 생각했을 때, 학교 수업만큼은 '학생들에게 학습 내용을 잘 기억하게 해서 문제를 많이 맞히도록 하는 것'에 그쳐서는 안 되는 것이었다. 수업을 성실하게 들은 학생이라면, 누군가가 분석하고 요약해주지 않아도 자신에게 필요한 글을 읽고, 이해할 수 있어야 하고, 누군가의 코칭 없이도 하고 싶은 이야기가 제대로 전달되도록 말로, 또 글로 표현할 수 있어야 하고, 누군가가 해석해주지 않아도 좋아하는 문학을 읽고, 향유할 줄 알아야 한다. 이런 것들을 스스로 할 수 있는 어른으로 성장시키는 것이 교육이고, 내가 해야 할 일이었다.

그러나 가진 목표와 포부에 비해 내 경험이 보잘 것없는 것도 사실이었다. 어떤 일을 혼자 해낼 수 있으려면 혼자 해보는 경험이 쌓여야 했고, 그만큼의 경험이 누적되려면 그 일이 '하고 싶은 일'이어야 했다. 특히 중학생 정도의 아이들에게는 더 그런 법이었다. 하지만 성취기준이 목표로 하는 것들을 '하고 싶은 일'로 만드는 것은 아주 많은 아이디어가 필요한 일이었다. 때때로 교과서가 힌트를 줄 때도 있었지만, 대부분의 경우, 그런 아이디어는 새벽 내내 수업 자료집, 책, 구글, 유튜브, 수업 자료를 공유하는 온갖 카페와 블로그, 인스타그램까지 뒤지고 뒤져야 건져지는 것들이었다. 단 한 시간의 수업을 위해서 그 아이디어를 건지려고, 거의 매일 밤잠을 줄여가면서 책상 앞에 앉았다. 때로는 Y 선생님과 마주 보고 앉아 밤늦게까지 협의회 아닌 협의회를 하기도 하고, 본가로 돌아오는 금요일 퇴근길에 버스 터미널에 있는 서점에 들러 수업 관련 서적을 뒤적거리기도 했다.

누군가 이런 모습을 봤다면, 그렇게 한다고 상을 주는 것도 아니고, 돈을 더 주는 것도 아닌데 왜 그렇게까지 하느냐고 물었을지도 모르겠다. 한번 쓰고 버릴 수업을 위해서 이만한 시간과 노력을 투자하는 것이 스스로 미련하다고 느껴질 때도 있었다. 편해지고 싶어서 교사가 되고 싶었던 건데, 누구도 시키지 않은 일을 하느라 내 시간을 다 써버리는 나를 스스로도 이해하기 힘들었다.

그러다 어느 날, 생각지도 못했던 상황에서 우연히 답을 얻었다. 나 혼자 쓰고 나 혼자 관리하는 국어 교과실에서 다음 수업에 쓸 교구가 있는지 확인하고 있을 때였다. 이제 막 쉬는 시간을 알리는 종이 친 터라 다음 수업을 들을 아이들이 아직 오지 않은 때였는데, 2학년 남학생 한 명이 혼자 국어실로 들어왔다.

"왜 벌써 왔어?"

"아까 장난치다가 어떤 애 필통이 창문 밖으로 날아가 버렸거든요. 필통 주인이 저 때리려고 쫓아와서 잠깐 숨어있으려고요."

또 장난을 치고 있는 모양이었다. 필통 주인이라는 애가 오는지 안 오는지 보려고 연신 창문 밖을 기웃대고 있었다.

"거기 서 있으면 금방 들킬걸? 밖에서 다 보이겠다."

"안 돼요. 걔 진짜 아프게 때린단 말이에요. 저 진짜 죽어요."

아이는 걱정하는 말을 하면서도 재밌어 죽겠다는 표

정을 짓더니, 교실 안쪽에 있는 책상 아래로 들어갔다. 잠깐 숨어있으면서도 밖을 확인하고 싶은지 들썩들썩 했지만 몇 분이 지나도 아무도 들어오지 않았다. 필통 주인이 복수를 포기한 모양이었다. 아무 일도 일어나지 않자 흥미를 잃은 아이가 자기 자리로 가서 앉았다. 그제야 선생님과 둘만 교실에 남겨졌다는 걸 깨닫곤 어색함을 느끼는 것 같았다.

"그거 재밌어요?"

수업 시작까지 몇 분 안 남은 때여서 잠깐 기다리면 어차피 다른 아이들도 교실에 들어올 텐데 그새를 못 참고 아이가 물었다. 수업에 쓸 PPT를 손보고 있을 때였다.

"응? 이거? 이따 수업 때 할 거야. 아마 재밌을걸?"

"그거 말고, PPT 만드는 거요."

"엥? PPT? 이건 그냥 수업 때 필요하니까 만드는 거지. 이런 게 재밌는 사람이 어딨어."

"쌤은 재밌어 하는 것 같았는데."

아이는 혼잣말처럼 말을 흘리더니 방금 들어온 다른 친구를 붙잡고 신이 나서 창문 밖으로 날려버린 필통 이야기를 했다. 분명 어색한 상황을 모면하려고 아무

말이나 던진 거겠지만, 수업 준비를 하고 있던 내 모습이 재밌어 보인 건 사실인 것 같았다.

학생들이 재밌어할 만한 제재를 찾는 일이, 의욕을 가지고 참여할 만한 활동을 설계하는 일이, 그 활동을 위한 자료와 교구를 만드는 일이, 나는 정말로 재미있었나 보다. 어떤 일에 자발적으로, 의욕을 가지고 참여하도록 하려면 그 일에 흥미를 느끼게 하는 게 가장 중요하다고 생각하고 있었으면서도, 정작 내가 의욕적으로 하고 있는 일에 흥미를 가지고 있을 거라고는 생각하지 못했다. 안정적인 직업을 얻고 싶어서, 편해지고 싶어서 교사를 선택한 사람치고는 너무나 다행스럽게도, 나는 이 일을 정말로 재미있게 하고 있었다. 퇴근 후, 피곤을 이기고 책상 앞에 다시 앉는 그 순간을 힘들어 하면서도 자료를 뒤적거리며 눈을 반짝였던 건, 내가 이 일을 좋아하기 때문이었다. 밤새 준비한 수업을 꺼내놓았을 때 눈을 빛내는 아이들의 표정도, "이거 진짜 재밌다"하는 작은 속삭임도, "오늘은 뭐 해요?" 하고 기대감에 차서 물어오는 목소리들도 그저 좋았다.

수능을 망치고 사범대를 선택하던 때에는 상상하지 못했던 미래였다. 교생 신분으로 아이들 앞에 섰을 때도, 절박하게 매달렸던 임용 준비 기간에도 얻지 못한 확신이었다. 그러나 감사하게도, 나는 나도 모르는 사이 '좋아하는 일을 하는 사람'으로 살고 있었다. 우연히 들어선 길에서 아주 예쁜 풍경을 발견한 기분이었다.

일의 기쁨과 슬픔

열 살 때쯤, 내 꿈은 피아니스트였다. 세상에서 제일 재미있는 일이 뭐냐고 누가 물으면 고민 없이 '피아노 치기'라고 대답할 자신이 있었다. 좋은 음악을 들으면 서투르더라도 꼭 내 손으로 치고 싶어서 피아노 앞에 앉곤 했다. 어려운 기교를 소화해내느라 몇 시간씩 앉아서 연습을 해도 그저 재미있었다. 하루에 열 시간씩 피아노만 치라고 했으면 좋겠다는 생각도 했다.

이만큼 사랑하는 일이라면 직업이 되어도 좋겠다고 생각했다. 그때 우연히 닿은 인연으로 피아노과 교수님께 레슨 받을 기회가 생겼다. 한 손에는 원래 다니던 피아노 학원 원장님이 써준 추천서 비슷한 손편지를 들고, 다른 손은 엄마 손을 잡은 채 교수님을 만나러 갔다. 이 정도로 어린 아이는 가르쳐 본 적이 없다며 난색을 표하던 교수님은, 내가 들고 간 손편지를 읽더니 마음을 바꿨다. 편지에 쓰인 만큼 재능 있는 아이라면 제대로 키워보고 싶다는 이유였다. 그리고 모차르트 소나타 한 곡을 연주해보게 하더니, 기본기를 제대로 쌓으면 대단한 피아니스트가 될 수 있을 거라고, 꼭 그렇게 만들어 주겠노라고 호언장담했다. 그 대가로 감당하기 힘들 정도의 레슨비를 요구했지만, 흔히 오는 기회가 아니었기에 첫 레슨날을 잡았다.

그리고 첫 레슨은 마지막 레슨이 되었다. 혼자서 30~40분을 연습하고 10~15분 가량 선생님 피드백을 받는 일반적인 학원 레슨과는 달리, 두 시간이 넘도록 교수님과 나란히 앉아 레슨을 받는 방식이었는데, 레슨 시간 내내 교수님에게 오른쪽 손목을 붙들린 채로 건반을 누르는 방식 자체를 교정해야 했다. 교수님의 말에 따르면 '성공한 피아니스트'가 되기 위해서는 내가 가지고 있는 잘못된 습관들을 모두 버리고 처음부터 제대로 기본기를 쌓아야 한다고 했다. 그리고 이제 와서 기본기를 새로 쌓기에 열 살은 조금 늦은 나이라면서, 그날 알려준 모든 것들을 다음날까지 연주에 완벽하게 반영할 수 있도록 집에서 연습해오라는 숙제까지 덧붙여줬다.

한 번도 피아노 치는 것이 싫었던 적이 없는데 그날은 레슨 시간 내내 피아노가 싫었다. 레슨실에 있던 근사한 그랜드 피아노가 어떤 소리를 내는지 궁금하지도 않았다. 오로지 실수하면 안 된다는 생각 뿐이었다. 터

치 하나하나 교수님이 요구하는 대로 누르느라 잔뜩 긴장이 됐다. 무슨 곡을 치고 있는지도 모르고 그저 악보에 따라 손가락 힘을 조절하는 데 급급했다. 집으로 돌아온 후, 잔뜩 울면서 엄마한테 전화를 했다. 피아니스트 안 하고 싶다고, 그만 둘 거라고 말하며 엉엉 울었다. 엄마는 두말 없이 안 가도 된다고 해 주었다.

그 후 나는 다른 꿈을 찾았다. 피아노 치는 일을 직업으로 삼으려다 보면 잘하고 싶어질 거고, 잘하려면 누구한테 배우든 언젠가는 눈물 나는 노력의 시간을 거쳐야 했다. 그 시간을 거친 후에도 피아노를 계속 좋아할 자신이 없었다. 피아노는 내가 정말로 좋아했던 일인 만큼, 좋아할 수 있는 상태로 남겨 두고 싶었다. 피아니스트는 못 되었지만, 나는 여전히 피아노를 좋아하는 사람이다. 그 선택에 후회는 없다.

이후 나는 운이 좋게도 '좋아할 수 있는 일'을 직업으로 선택한 사람이 되었다. 하지만 일찍이 깨달은 바와 같이 어떤 일이 직업이 되는 순간, 그 일이 아무리 좋을지라도 지치는 순간이 오기 마련이었다.

수업도 즐겁고, 동료 교사들과의 관계도 좋았고, 학

생들과도 잘 지냈지만 이상하게 모든 것이 힘에 부쳤다. 대학 입학 이후 단 한 번의 휴가도 없이 평일, 주말 가리지 않고 빡빡한 일정을 보낸데다, 일을 시작한 후에도 새벽까지 깨어 있는 날이 허다했으니 체력이 바닥날만 했다. 세 개 학년, 100문제를 혼자 출제하느라 새벽 늦게까지 야근을 한 후, 뭘 잘못 먹은 것도 아닌데 아침에 눈을 뜨자마자 구토를 했고, 그제서야 뭔가 잘못되고 있다는 것을 깨달았다.

배가 아프고 속이 너무 안 좋았지만 당장 병원에 가기도 어려운 상황이었다. 병원에 가려면 멀리 떨어진 읍내까지 나가야 했는데, 자차도 없는 상황에서 나갔다 들어오려면 시간이 꽤 오래 걸릴 것 같았다. 장시간 자리를 비우게 되면 누군가는 내 수업을 대신 들어가야 하는데, 우리 학교에는 보강을 할 수 있는 동교과 교사가 없었다. 다른 교과 선생님과 수업을 교체하는 방법도 있었지만 매주 시간표를 새로 짜다시피 할 만큼 많은 교체가 이루어진 상황에서 시간표를 더 손대고 싶진 않았다. 어쨌든 그 시간표를 수습하는 건 수업계인 내 일이었기 때문이다. 게다가 매일 오후 7시까지 보충수업을 하는 거점 학교라서 일과 후에도 병원 진료를 받을 시간이 없었다.

결국 사흘을 참다가 금요일 퇴근길에 올랐다. 집에 도착한 후에 주말 아침에라도 병원에 가 볼 생각이었다. 안색이 안 좋아 보여 걱정이 되신 부장님이 나와 Y 선생님을 터미널까지 직접 태워다 주셨다. 괜히 폐를 끼치게 된 것 같아서 민망하고 죄송스러웠다.

"내일 아침에라도 병원 꼭 가 봐. 중간에라도 갔어야 되는데 나도 마음이 안 좋네."

"엄청 아픈 건 아니고 그냥 가벼운 위염 같아요. 부장님도 퇴근길에 피곤하실 텐데 태워주셔서 감사해요."

"체력이 제일 중요한데…… 요즘 누가 힘들게 해?"

"특별히 힘든 일은 없었는데, 제가 요령이 좀 없었던 것 같아요. 수업 준비며, 출제며, 업무며 다 시간이 많이 걸려서요. 다른 선생님들 하는 거 다 똑같이 하면서 저만 이렇게 티를 내게 되네요."

"처음엔 다 그렇지. Y 선생님은 적응 좀 되고?"

"저도 똑같죠. 둘이 맨날 관사에서 새벽까지 수업 준비하고, 출제할 때도 새벽까지 같이 있고. 세 개 학년을 혼자 해서 그런지 시간이 많이 들더라고요. 기말이 벌써 걱정돼요."

"시간이 약이야. 좀 있으면 요령도 생기고 그럼 좀 나아질 거야. 그런데 경력이 어느 정도 쌓여도 세 개 학년 걸치기는 힘들더라고. 소규모 학교라서 그래, 소규모 학교라서."

"큰 학교는 여기랑 많이 다른가요?"

"이렇게까지 하는 경우는 잘 없지. 선생님은 지금 4단위씩 세 개 학년 들어가니까 일주일에 열두 차시씩 준비하잖아요? 그런데 큰 학교는 동교과가 많으니까 같은 학년 담당하는 선생님이랑 나눌 수가 있어요. 그럼 일주일에 많아야 두세 차시 정도만 준비해도 되는 거야."

"그래도 학교가 크면 일이 더 많아지지 않나요?"

"학생 수에 영향을 받는 업무는 할 일이 많아질 수 있지. 그런데 학생 수가 많은 만큼 교사 수도 많으니까 여기보다는 분업이 훨씬 잘 돼요. 오히려 한 사람이 하는 업무량은 소규모 학교보다 더 줄어들지."

"오, 그래서 다들 중심지로 들어가고 싶어하나 봐요."

"그렇지. 그런데 이 지역은 앞으로 점점 소규모 학교가 많아질 거예요. 학령 인구는 줄어들고 있고, 학생

수가 너무 줄어들면 일반적으로 통폐합을 고려하잖아요? 하지만 그런 식으로 해결하기엔 이 지역은 학교들이 너무 넓게 퍼져 있는 거야. 지역이 넓다 보니까 통폐합을 해야 할 학교들끼리 거리가 너무 멀고, 그럼 어쩔 수 없이 소규모 학교로 남는 거지."

"그럼 나중에 저희가 경력 30년 차쯤 되면 지금의 선호 지역이 더이상 선호 지역이 아닐 수도 있겠네요."

"그렇지. 앞일은 모르는 거니까. 그래서 젊었을 때 많이들 나가려고 하잖아요. 아직은 괜찮아 보이는 큰 도시로 가려고 임용도 다시 보고, 시도 교류도 지원하고. 선생님들도 이제 막 합격했으니까 여력이 되면 생각해 볼 수도 있지."

알게 모르게 지역 이동을 생각하는 사람이 정말 많은 모양이었다. 섬으로 간 발령 동기들 중에서도 재임용을 준비한다거나 몇 년 더 있다가 시도 교류에 지원할 거라는 사람들이 꽤 있었다. 단순히 학교 규모의 문제만은 아니고, 멀지 않은 미래에 있을 결혼과 육아를 고려해야 할 연령대들이다 보니 비교적 인프라가 좋은 큰 도시에 자리잡으려는 경향이 있었다. 나 역시도 고민이 됐다. 그 당시만 해도 결혼과 육아는 나에게 너무면 일이었지만, 지역 이동이 간절해질 때까지 손 놓고 기다리기엔 그 해가 가장 재임용 성공 가능성이 높은 시기라는 것을 알고 있었다. 언젠가는 시험을 다시 볼 거라면, 조금이라도 시험에 대한 감이 남아 있는 상태에서, 출제 유형이 많이 바뀌지 않은 상태에서 시도해 보는 것이 나았다.

그날, 일주일만에 하얗게 질린 꼴을 하고 집에 들어온 나를 보고 엄마가 말했다.

"내일 병원부터 가. 너는 어째, 공부할 때보다 지금이 더 힘들어 보인다."

"체력이 문제라서 그래. 밥 먹으면 괜찮아질걸?"

"학교에서 더 잘 먹는다며."

"그렇긴 하지."

"아니, 진짜. 예전에 공부할 때는 맨날 밤새고 그랬어도 반짝반짝해 보이는, 그런 게 있었는데, 지금은 항상 무기력한 것 같아. 일이 많이 힘들어?"

"아직 요령이 없어서 그렇지. 그런데 엄마 말대로 공부할 때가 더 반짝반짝했던 것 같아. 그때는 막 독기에 차 가지고. 공부를 더 할 걸 그랬나?"

웃으며 던진 농담 같은 말에 엄마도 농담으로 받아쳤다.

"시험 한 번 더 봐. 집으로 출퇴근하면 좋잖아. 엄마가 해주는 밥도 먹고."

"그럴까?"

늦은 밤, 방에 혼자 있으니 괜히 전공서를 펼쳐보고 싶어졌다. '공부할 때가 더 반짝반짝했다'는 말이 자꾸 생각났다. 아직 버리지 않은 전공서 몇 권을 꺼냈다. 불과 몇 달 전, 가장 치열한 시간들을 함께했던 책들이었다. 빼곡이 적힌 메모며 포스트잇을 보니 엄마의 말이 무슨 뜻이었는지 알 것 같았다. 의무감 때문이 아니라 순전히 자발적인 의지로 했던 공부인 만큼, 단단하고 반짝이는 노력이었다.

사실 이제는 공부가 아니라 일에 집중해야 할 시기였다. 이미 시간에 쫓기고 있었기 때문에 굳이 안 해도 될 일을 하나 더 얹는 게 맞나 싶기도 했다. 하지만 이것들을 다시 들여다 보는 게 힘이 될 것 같았다. 이전의 절박함은 없겠지만, 업무에 지장이 없는 범위 내에서 딱 한번만 더 시도해보는 것 정도는 해도 되지 않을까 싶었다.

푹 쉬고 다시 학교로 돌아가는 월요일 새벽, 짐을 싸면서 전공서도 한 권 챙겼다. 꼴도 보기 싫었던 책이 이상하게 의지가 됐다.

진짜 마침표

재임용을 준비해 보겠다며 챙겼던 그 전공서는 1학기가 다 가도록 관사 책상에 토템처럼 모셔져 있기만 했다. 시간이 없기도 했고, 어쩌다 시간이 생기는 날에는 쉬기 급급했다. 가끔 책상 위의 전공서가 유난히 눈에 걸리는 날이면 몇 번 뒤적여보긴 했으나, 말 그대로 '뒤적이기'에 그친 것이지 각 잡고 공부를 하지는 않았다. 절호의 기회였던 여름 방학마저도 출장과 2학기 수업 준비, 그리고 몇 년만에 맞은 휴가를 보내는 데 소진했다.

그리고 2학기를 맞았다. 8월 중순이었다. 왜 일을 병행하면서 시험 준비하기가 어렵다고 하는지 너무나 잘 알게 되었다. 어쨌든 뭐라도 시작해야 할 시기였다. 남은 시간 동안만이라도 할 수 있는 만큼은 해야 했다. 공부를 시작하기에 앞서 가장 먼저 고려해야 했던 건, 나 자신에게 공부할 시간과 동기를 만들어주는 일이었다.

무엇보다도 시간이 중요했다. 다행히 여름 방학 때 평가계획도 미리 세우고, 수업도 어느 정도 준비해 둬서 조금이나마 시간적 여유가 생겼다. 업무도 손에 익은 상태고, 대부분 1학기에 작성한 계획서대로 추진하고 있던 단계였기 때문에 1학기보다는 훨씬 여유로운 상태였다. 그러나 조금 더 집중할 수 있는 환경을 만들기 위해서, 오후 7시에 퇴근을 하면 공부할 자료만 들고 읍내에 있는 카페로 갔다. 학교에서 읍내까지는 차로 15분 정도 걸리는 거리였기 때문에, 일단 나가면 중간에 다시 들어오기가 쉽지 않았다. 그러면 최소 10시~10시 반까지는 공부 시간을 확보할 수 있었다. 남은 업무나 수업 준비할 시간이 필요한 날에는 관사로 돌아온 후 새벽 시간을 활용했다.

또 하나 필요한 것은 동기 부여였다. 소규모 학교라고 하더라도 당장의 학교 생활이 새롭고 즐거웠기 때문에 도시나 대규모 학교에 대한 열망이 크지는 않았다. 그리고 도시 생활, 큰 학교 근무는 굳이 지역을 옮기지 않더라도 중심지로 근무 지역을 이동하면 충분히 누릴 수 있는 것들이었다. 실제로 '이번 임용 시험에서 떨어져도 괜찮다'는 마음이기도 했다. 하지만 그렇다고 해서 대충 공부하다가 떨어지면 미련이 남을 것 같았다. 장기적인 목표는 동기 부여가 되지 않았으므로 바로 눈앞에 보이는 무언가를 찾아야 했다.

결국 답은 또 스터디였다. 같이 합격한 후 '배 타고 들어가는 섬'에 발령을 받아 재임용을 준비한다는 H와 주말마다 만나기로 했다. 9월부터 일주일에 한 회씩 모의고사를 풀기 위해서였다. 이렇게라도 해야 감을 찾고 평일에 공부할 의지를 가질 수 있을 것 같았다. 둘 모두에게 황금 같은 주말이었지만 이미 끝난 시험에 스스로를 다시 매어 놓기 위해서는 불가피한 조치였다.

별 거 아닌 이 조치들을 통해 일과 공부를 분리할 수 있게 되었다. 하루 3시간, 읍에 나가 있는 시간 만큼은 온전히 공부에 집중할 수 있었고, 나머지 시간에는 온전히 일에 집중할 수 있었다. 두 가지를 병행하는 셈이었지만 두 가지 모두 자리를 잘 잡아가는 것 같아서 마음이 편했다. 그러나 어쩔 수 없이 둘 사이의 균형이 깨지는 때도 있었다. 물론 업무 때문이었다.

2학기는 국어과에 이런 저런 행사가 많았다. 사서가 없는 소규모 학교인지라 특수 선생님이 도서관 업무까지 겸하게 됐는데, 정작 그 도서관을 활용해서 수업을 하는 사람은 국어교사인 나였다. 이 애매한 관계 덕분에 도서관과 관련된 일을 할 때마다 두 사람 모두 소환되는 상황이 됐다. 다행히 서로가 난감하고 애매한 입장인 걸 잘 알고 있어서 도서관 일을 하게 될 때마다 협업이 잘 되는 편이었는데, 2학기 들어 엄청난 업무가 하나 떨어지게 되었다.

발단은 책꽂이 교체였다. 당연한 이야기지만 책꽂이를 교체하려면 꽂혀 있는 책을 모두 빼낸 후, 책꽂이를 바꾸고, 빼낸 책을 다시 다 꽂는 작업이 필요했다. 이 일을 전담하는 노동력이 따로 있었다면 머리 아플 일도 아니었겠지만 안타깝게도 우리가 쓸 수 있는 노동력은 '헌 책꽂이를 철거하고 새 책꽂이를 설치해 주는 것'까지였다. 도서관 장서 전체를 빼서 분류하고, 폐기할 도서를 추리고, 다시 정리해서 꽂는 일 전부를 우리가 해야 했다. 학생들과 다른 선생님들의 도움으로 기한 내에 끝낼 수는 있었지만 공강 시간마다 책 먼지 속에서 수천 권에 달하는 장서들을 옮기느라 한동안 어깨, 팔, 허리가 남아나질 않았다.

그 와중에 나 혼자 추진해야 할 국어과 업무도 있었다. 자잘한 것들은 차치하고, 가장 크게 신경이 쓰였던 건 토론 대회와 독서 토론 동아리였다. 토론 대회는 학교 내부 계획에 따라 추진하는 행사였지만, 도 본선 대회와 연결되는 군 예선 대회에 학교 대회 영상을 제출해야 해서 가볍게 넘어가기 어려운 행사였다. 국어 수업 시간 일부를 빼서 전 학년을 대상으로 자체 예선 대회를 치르고, 전교생, 전교사가 모인 강당에서 본선 대회를 치르느라 한동안은 대회 일에만 매달려 있었다.

독서 토론 동아리는 반드시 책자를 발간해야 한다는 점에서 품이 많이 들어가는 일이었다. 아이들이 쓴 글과 책 인터뷰 자료, 독후 활동 결과물을 엮어 책으로 만들기만 하면 되는 일이었는데, 이 모든 결과물을 책에 실릴 수 있는 형태로 다듬도록 피드백을 주고, 파일을 수합하고, 표지 디자인을 맡을 외주 디자이너를 구하는 것까지 모두 내 손을 거쳐야 할 일들이라서 시간이 꽤 많이 들었다. 결국 임용 시험 이틀 전까지도 동아리 책자 원고를 마무리하느라 밤늦게까지 교무실에 남아 있을 수밖에 없었다.

그렇게 1차 시험 당일이 되었다. 예전에 비하면 한참 못 미치는 공부량이었지만 주어진 상황 안에서는 최선을 다했다는 생각이 들었다. 기대가 없어서 그런지 마음이 편안했다. 2차 시험 티켓을 얻기 위해서는 몇 등 안에 들어야 한다는 계산도 하지 않았다. 합격을 못 하면 지금 자리에서 열심히 하면 되고, 운 좋게 합격하면 그때 가서 2차 시험을 다시 준비하면 될 일이었다. 여유가 생기니 알고 있던 것들을 글로 풀어내는 것도 훨씬 수월했다.

1차 시험장에서 나올 땐 어느 때보다도 홀가분한 기분이었다. 합격이든 불합격이든 이제 두 번 다시는 이 시험을 볼 일이 없을 거라는 확신에서 나온 홀가분함이었다. 이제야 완전히 시험에서 벗어난 기분이 들었다. 굳이 전공서에 녹아 있는 단단하고 반짝이는 노력의 시간들을 확인하지 않아도 충분히 단단해질 수 있는 상태였다. 1학기 내내 나를 힘들게 했던 일과 나 자신 사이의 균형도 이제는 맞춰가고 있었다. 이제부터 할 일은, 1차 결과 발표 전까지 그 균형을 충분히 누리는 일이었다.

비로소 일과 공부가 아닌, 일과 휴식을 병행할 수 있게 된 그해 12월을 충분히 누린 후, H와 나는 1차 시험에 나란히 합격했다. 1차 합격자는 다섯 명이었는데,

컷에서의 점수 차로 유추해 봤을 때, 나는 4등인 것 같았다. 최종 합격을 하려면 뒤집어야 할 등수였다.

하지만 초수 때만큼 막막한 상황은 아니었다. 수업 실연이든 면접이든 책 속의 지식과 상상에만 의존해서 준비해야 했던 때와 달리, 이제는 실제적인 경험이 있었다. 버겁다고 생각했던 세 학년 걸치기마저도 도움이 되는 상황이었다. 백 시간이 훌쩍 넘는 진짜 수업의 경험과 출장과 연수를 통해 접한 다른 선생님들의 수업은 어떤 문제가 나와도 무난히 대처할 수 있는 여유를 주었다. 일을 시작하기 전에는 없었던 여유였다.

생각했던 대로 2차 시험은 무난하게 치렀다. 시험 맞춤형으로 수업 실연과 면접을 준비했던 1년 전 시험에 비해서 깔끔하게 정리된 맛은 덜했지만, 모범 답안보다는 내가 할 수 있는 것들을 잘 보여주고 온 시험이었다. 그것만으로도 만족스러웠다.

최종 결과 발표일은 공교롭게도 중간 개학일이었다. 결과 발표 시간이 수업 시간과 겹쳐 확인하지 못하고 있었는데, H에게 카톡이 왔다. 내용까지는 확인하지 못하고 결과가 떴나 보다 했다.

그리고 쉬는 시간에 차에서 노트북을 켰다. 기대감이 아예 없다고 생각했었는데 결과 확인 페이지에 들어가는 순간에는 긴장이 됐다. 급하게 들어간 페이지에는 좋은 소식이 떠 있었다. 합격이었다.

1년 간의 많은 경험, 좋은 인연들을 뒤로 하고 나는 결국 집으로 돌아왔다. 누군가는 시험은 그저 일을 시작하기 위한 관문일 뿐이고, 실무는 따로 배워야 하는 것이라고, 시험에 매달리는 것은 시간 낭비라고 할지도 모르겠다. 하지만 내가 시험과 함께 했던 시간들은 분명 개인적으로도, 교사로서도 성장하는 시간이었다. 그러나 이제는 시험에 완전한 마침표를 찍고, 교직 안에서 새로운 꿈을 찾았다. 더 큰 성장을 이루기 위해 나는 아직도 달려가고 있다.

4부 | 기간제교사

행복한 신규

임용공부를 전혀 하지 않았던 나는 11월에 있을 임용시험에서 경쟁력이 없을 것 같아 고시공부 비용을 저금하자는 마음으로 8월부터 12월까지의 첫 기간제교사 생활을 시작하였다.

나의 첫 기간제교사 생활은 고등학교에서 시작하게 되었고 2학년실에서 생활했다. 수업은 1학년 통합사회, 2학년 정치와법, 3학년 경제를 담당하였다. 행정업무는 없었다. 단순히 수업을 하고 평가를 하는 것이 다였다.

그때 당시에도 '이렇게 일을 하고 내가 월급을 받아도 되나?'라는 생각을 가질 정도로 편하게 일하였다. 지금 생각해보면 모두 다 동료교사들의 배려 때문이었던 것 같다. 작은 실수들이 있을 때는 막내 동생 챙기듯이 도와주셨다.

단순히 수업, 시험문제 출제 그리고 젊다는 이유로

학생들의 아이돌이 되었던 나는 유토피아에 있는 기분이었다. 2학기에 처음 들어갔던 학교에서 6개월을 근무하고 이듬해 1년 계약을 학교에서 제안하였다.

원래 계획이라고 하면 1월부터 임용공부를 하려고 했다. 하지만 학교에서 한 제안을 받고 나는 약간의 고민을 하였지만 흔쾌히 1년 계약을 받아들였다. 그 이유는 간단했다. 아이들과 조금 더 시간을 보내고 싶어서였다. 10월~11월부터 학생들은 나에게 '내년에 담임해주면 안되냐, 내년에도 우리 학교에 있을거냐'를 물어보았다.

매달 꼬박꼬박 월급이 들어오고 아이들은 나를 좋아해주고 동료 선생님들도 막내 동생 챙기듯이 챙겨주어 아무런 스트레스가 없었던 나는 공립학교 기간제 교사 생활을 1년 연장하였다. 그리고 교장, 교감선생님의 배려 덕분에 관사에서 생활하게 되었다.

처음 시작했을 때는 임용 공부를 병행하려고 했는데 시작이 지날수록 그 목적은 희미해져 갔다. 지금 생각해보면 임용 시험에 대한 절실함이 없었던 것 같다.

2년차 나의 업무는 학생생활 기획 업무를 맡았고 이때 처음으로 공문 접수와 기안문 작성을 하였다. 행정

업무를 처음 맡게 되었는데 같이 일했던 부장선생님 덕분에 많이 배우게 되었다.

학생들과는 더욱 더 깊은 관계가 되었고 동료교사들과는 더욱 더 즐거운 시간을 보냈다. 연초, 연중에는 다른 교사들과 같이 월급이 꼬박꼬박 들어오고 학생들은 교사, 기간제 교사 구분없이 선생님이라고 부르면서 따라주니 내가 정교사가 된 것만 같았다.

그래서 임용시험을 보지 않았지만 정교사가 된 것처럼 착각하게 되었다. 그러나 이러한 착각은 오래 가지 않는다. 연말부터 걱정이 생긴다. 계약기간 만료가 다가오니 교사를 계속하고 싶으면 임용시험에 합격을 하던지 새로운 학교와 계약을 해야 하기 때문이다.

부록 6 | 교사에게 방학이란?

김쌤 : 학생들이 방학에 들어가게 되면 교사는 방과후 수업이나 출장 등이 없을시 '교육공무원법 41조 연수'라는 복무를 내게 됩니다. 명칭에서 유추할 수 있겠지만 연수를 받는다는 말입니다. 교육공무원법에 기재된 내용을 보면 '교원은 수업에 지장을 주지 아니하는 범위에서 소속 기관의 장의 승인을 받아 연수기관이나 근무 장소 외의 시설 또는 장소에서 연수를 받을 수 있다.'라고 나와 있습니다. '수업에 지장을 주지 아니하는 범위'란 학생들이 등교하지 않아 수업이 이루어지지 않는 '휴업일'을 말하며, 학교 현장에서는 방학 또는 재량휴업일을 의미합니다. 그리고 '소속 기관의 장의 승인을 받아'의 의미에서 '학교장은 연수의 질 관리 등의 책무성을 가지게 되며, 휴업일일지라도 학교 업무에 지장이 없는 범위 내에서 승인하여야 함.'이라고 기재되어있습니다.

정쌤 : '교육공무원법 41조 연수'를 신청하고 본인이 자택, 타지 등에서 연수를 받거나 교과연구를 하는 것을 말하죠. 이 복무를 썼을 때는 여행을 갈 수 없습니다. 여행을 가고자 하면 연가 신청을 따로 해야 합니다.

김쌤 : 맞아요. 그리고 방학 때는 정말 바쁘죠. 밀렸던 연수도 듣고 다음 학기를 위한 수업 준비도 하구요. 그리고 방과후 수업까지 하면 1년 동안 실질적인 휴일이 며칠 안 됩니다. 교사의 특성상 학기 중의 연가는 잘 쓰지 않거든요. 그렇다면 방학 때 써야 하는데 위에 말씀드렸던 것처럼 방과후 수업이나 연수 일정이 있으면 연가를 쓸 수 없습니다. 그리고 요즘은 방학도 짧아지고 있어서요.

학사편입과 교직이수

공립학교 2년차 기간제 생활을 하면서 교사를 하고 싶다는 마음을 더 가지게 되었다. 동료교사, 학생 등등 다양한 사람들의 도움 때문이었다.

하지만 최근 임용 티오를 보면 확률이 너무 희박해 보였다. 내가 지원하고자 하는 지역은 격년으로 일반사회 교사를 채용하였다.

그 시기에 내 눈에 띈 과목은 체육 과목이었다. 내가 지원하고자 하는 지역에서 20~30명을 뽑았고 인근 지역을 보더라도 비슷하게 뽑았다. 그리고 주변 지인들의 추천이 있었다. 사회는 티오가 많지 않으니 체육으로 복수전공을 하여 임용을 보라는 말씀들이었다.

임용 티오도 많고 내가 운동을 좋아하기 때문에 체육 교과에 대한 거부감은 전혀 없었다. 체육교과로 임용을 보기 위해서는 당연히 체육 2급 정교사 자격증이 있어야 하는데 그때 당시에 내가 생각할 수 있는 방법은 교육대학원에 입학하는 것이었다.

체육 교과가 있는 교육대학원이 있어 문의를 했는데 입학이 안 된다고 하였다. 그 이유는 체육 관련 학사

학위를 가지고 있지 않기 때문이었다. 대학원은 석사 과정이니 당연히 학사-석사 과정의 연계성이 있어야 했고 이에 따라 일반학사생들의 입학을 받지 않았다.

다른 과목도 마찬가지이다. 예를 들어, 교육대학원에서 국어 관련하여 입학을 하고 싶으면 국어교육과를 졸업했거나 국어와 관련된, 즉 국어국문학과나 이와 비슷한 과를 졸업해야 하는 것이다.

그렇게 교육대학원 입학이 무산되었고 바로 다른 방법이 없나 찾아보았다. 그러다가 학사편입이라는 방법을 알게 되었다.

학사편입이란 대학교를 졸업한 사람이(학사과정을 마친 사람이) 대학교에 편입하는 것이다. 학사과정을 마치고 편입을 하는 것이기 때문에 학사편입을 하면 3학년으로 편입이 된다. 내가 문의했던 대학교의 체육교육과는 규정상 학사편입이 없었다. 학사편입을 하려면 사범대 체육교육과가 아닌 일반과, 즉 체육과로 입학을 해야 했다.

그 소식을 듣고 마음이 무거워졌다. 교직이수를 받기 위해 엄청난 경쟁을 해야 하기 때문이다. 대학생시절 일반과에서 교직이수를 하던 친구가 있어 얼마나 힘든지 알고 있었다. 하지만 내 걱정과는 달리 사범대학교를 졸업하고 학사편입을 하면 저절로 교직이수 처리가 된다고 하였다.

여기에서 말하는 교직이수란 2급 정교사 자격증을 받는 것을 말한다. 임용시험을 볼 때는 두 가지의 필수 자격증이 있는데 첫째는 해당 교과 2급 정교사 자격증, 둘째는 한국사 3급 이상 자격증이다.

2급 정교사 자격증을 취득하려면 두 가지 방법이 있다. 첫 번째는 사범대학교에 입학하여 졸업하는 것. 의사나 간호사분들처럼 졸업할 때 국가고시를 봐야 자격증을 취득하는 것이 아닌, 무시험자격이다. 시험 없이 졸업만 하면 자격증을 받을 수 있다. 두 번째는 교직이 설치된 일반과에 입학하여 교직이수를 하는 것. 모든 과에 교직이 설치되어 있는 게 아니라 중, 고등학교에 있는 교과와 관련된 과들에 주로 설치되어 있다. 국어, 영어, 사회, 과학, 체육, 상담, 정보 등의 교과가 그에 해당한다.

예를 들어 국어국문학과에 입학을 했다. 1학년을 마칠 때쯤 1, 2학기 성적의 합이 몇등 정도 되는지 알 수 있게 된다. 각 대학교에 있는 교직이수 규정에 따라

상위 퍼센트에 들어가게 되면 2학년 때부터 교직이수에 필요한 수업, 즉 교직과목을 들을 수 있다. 교직과목은 교육학개론, 교육행정, 교육사회학, 교과교육론 등 교사가 되기 위해 필수적으로 이수해야 하는 과목들을 말한다.

여기에서 끝이 아니다. 2학년 성적의 합으로 순위를 매기고 또 탈락자가 생긴다. 이렇게 1학년, 2학년, 3학년까지 상위권을 유지하면 2급 정교사 자격증을 받게 된다.

하지만 사범대생은 교직이 설치된 일반교과에 복수전공을 신청하고 승인만 되면 이러한 경쟁 없이 2급 정교사 자격증을 받게 된다. 사범대생이 얻을 수 있는 이득이라고나 할까?

더 확실하게 하기 위해 직접 체육과 교수님께 양해를 구하고 여러가지 질문을 드렸고, 교수님께서는 흔쾌히 답변을 해주셨다. 강의 수강 등 여러가지 질문을 드렸다. 귀찮게 질문을 많이 드렸는데도 친절하게 답변해 주셔서 지금도 감사드린다.

이러한 사전조사를 마치고 새 학기 수강신청 방법과 다른 궁금증에 대해 물어 보고 답을 듣기 위해 학과실에 찾아갔다.

조심스럽게 말하자면 짧은 대화를 통해 수직적인 구조를 느낄 수 있었고 주변 사람들과 많은 이야기를 통해 학사편입을 안 하기로 결정하였다.

'졸업생에게까지 군대식 관등성명을 요구하다니? 심지어 나는 그 과 졸업생도 아닌데?'

사립학교

학사편입이 무산되고 나는 내년에 대해 진지하게 고민을 하게 되었다. 당연히 1순위는 임용 공부를 하는 것이었다. 하지만 주변 동기들이나 선배, 후배들을 보았을 때 임용은 정말 힘들어 보였다.

게다가 일반사회의 티오는 왜 이렇게 없는지. 이러한 여러가지 고민들이 나를 생각하게끔 하였고 주변에서는 나에게 여러 조언들을 해주었다.

그 중 한 조언이 내 인생을 바뀌게 하였다.

"사립학교에 가보는 건 어때? 사립학교에서 2~3년 기간제 생활하면 정교사시켜 준다던데?"

사립학교. 많이 들어 보았지만 힘들다는 이야기만 들렸던 학교.

하지만 나는 그러한 말들이 허풍 같이 들렸다.

'학교는 다 똑같지 공립학교, 사립학교 차이가 뭐 있어?'

공립학교 2년 생활을 했던 나로서는 두려움이 없었다. 그리고 공립학교와 사립학교의 장점과 단점에 대해 차분히 생각을 해 보았다.

내가 생각하는 사립학교의 장점은 인사 이동이 없다는 것이다. 공립학교 선생님들처럼 이 학교, 저 학교 옮겨다니지 않고 일을 한다는 것이다. 하지만 인사이동이 없다는 것이 오히려 수직적이고 경직된 조직문화를 고착시킨다는 단점이 있다.

하지만 이런 거는 둘째치고 '교사는 수업 잘하고 학생들과 관계 좋고 업무만 잘하면 되지'라고 생각하였다. 마침 졸업을 앞둔 내 동생도 사립학교 기간제를 준비하고 있었고 동생과 나는 같은 지역에서 일을 할 수 있었기에 동생과 같이 사립학교 기간제 생활을 시작하게 되었다.

부록 7 | 공립과 사립, 무엇이 다른가요?

정쌤: 설립·경영의 주체가 누구인지에 따라 구분됩니다. 공립학교는 교육청이 설립·경영의 주체이고, 사립학교는 법인 또는 개인이 주체가 됩니다. 국가가 설립·경영하거나 국립대학법인이 부설하여 경영하는 경우는 공립과 구분하여 국립이라고 부릅니다.

Q. 공립과 사립의 채용 방식에도 차이가 있나요?

김쌤: 과거에는 공립과 사립이 독립적인 체제로 선발 시험을 운영했습니다. 공립은 한국교육과정평가원에서 기출한 문제로 교육청 주관하에 교사들을 선발했고, 사립은 재단 자체적으로 선발 시험 체계를 만들어서 운영했죠. 하지만 요즘에는 사립학교들도 채용의 공정성과 투명성을 더 확보하기 위해서 교육청에 위탁하여 선발 시험을 진행하고 있습니다. 지역에 따라 위탁 시험 방식에 약간의 차이는 있지만, 대부분 공사립 모두 같은

날짜에 1차 시험을 보는데, 공사립이 같은 시험지로 시험을 보는 경우도 있고, 사립 임용시험에 해당 교육청 자체 출제 문제가 쓰이기도 합니다. 1차 합격 인원에서는 공사립 차이가 있는데, 공립은 최종 합격 인원의 1.5배~2배수의 인원이 합격하지만, 사립의 경우 재단에 따라 3~4배, 많게는 5배수의 인원이 2차에서 경합합니다.

음악교사

사립학교를 지원하고 싶은 선생님들에게 말씀드린다.

먼저 그 재단에 대해 완벽하게 이해하고 지원하기를 바란다. 전국에는 수많은 사립학교 재단이 있고 그 재단들은 큰 틀에서는 학교지만 세부적으로는 사기업처럼 목표하는 지향점이 다르다.

나는 아무런 정보 없이 일반사회 교사를 뽑는 중학교에 지원하였고 필기시험과 수업시연, 면접을 거치고 난 뒤 최종합격을 했다. 맡은 업무는 교무부 소속이었고 학적담당이었다. 학년부 생활과 학생지도 업무를 했던 나로서는 생소한 업무였다. 그리고 학교에서 교무부라고 하면 중추적인 역할을 하니 책임감이 막중하게 느껴졌다.

'업무는 학적이고 그러면 수업은 어떻게 되지? 3학년 사회를 담당하는군.'

'어? 아니네? 1학년도 들어가는군.'

그런데 뭔가 이상했다. 3학년은 일반사회라고 적혀 있었는데 1학년은 음악이라고 적혀 있었다.

자초지종을 들어보니 지금 내가 기간제 교사로 들어

간 자리는 육아휴직에 들어간 음악선생님이셨다. 재미있는 사실은 이 음악 선생님이 1학년 일반사회를 가르쳤다는 것이다. 그래서 일반사회인 내가 음악 수업을 한다는 것이었다.

다른 건 둘째 치고 가장 걱정인 것은 학생 평가였다. '음악에 대해 지식이 없는 내가 시험 문제를 낸다고?' 이때만 하더라도 자유학년제가 아니라 자유학기제이기 때문에 1학기는 시험문제를 출제해야 했다.

이렇게 재미있는 사립학교 생활이 시작되었다. 결론부터 말하자면 이 학교에는 1년만 있었다. 계약연장을 요청해도 하지 않을 생각이었고 학교도 나에게 계약연장을 요청하지 않았다.

이 학교는 내가 들었던 어마무시한 사립학교는 아니었다. 하지만 내가 가장 싫어하는 군대같이 수직적인 구조를 가지고 있었다.

사립학교의 특성 상 남자선생님들이 많다.

(여자선생님은 육아휴직을 쓰기 때문에 재단에서 남교사를 선호한다라는 카더라가 있다.)

많은 남자선생님들이 있고 그 남자선생님들은 군대의 계급처럼 각각의 역할분담을 하였다. 나는 그 역할분담에 적극적이지 않았기 때문에 나를 보는 시선이 안 좋았던 걸로 기억된다.

첫 번째, 먼저 아침 6시 50분까지 학교를 가야 했다. 6시 50분에 학교를 가서 학교 청소를 하고 초과 근무 없이 자발적으로 학생등교지도를 하였다. 나는 출퇴근길이 멀어서 참여하기 힘들겠다고 말했다. 그래서 나를 아침 6시 50분 근무에서 빼주었다. 하지만 나중에 생각해보니 빼준 게 아니라 그때부터 나를 제외시켰던 것 같다. 그날 집합 아닌 집합을 했다. 나와 같이 들어온 기간제 남자 교사들을 다 모았다. 학교에 매점이 있었는데 매점에서 먹고 싶은 것을 하나씩 집으라고 한 뒤 학교 뒤편 골목길에 가서 이야기를 나누었다.

"우리 학교는 이러이러한 문화가 있어."

"우리 학교는 남자선생님들이 다 이렇게 이렇게 하고 있어."

"우리 학교는 나보다 어린 선생님들은 이런 것들을 해."

등등 엄청나게 많은 학교 문화를 전파해 주셨다.

이렇게 집합 아닌 집합을 하고 난 뒤에도 아침 근무에 참여하지 않았으니 그들이 나를 얼마나 안 좋게 보았을지 상상이 된다. 예전부터 이어져 오던 학교의 문화를 내가 거부했으니 그들이 나를 안 좋게 보는 것은 당연했을 것이다.

두 번째, 학교에 체벌이 아직도 존재했다. 내가 이 학교에 재직하던 시기가 2016년이었는데 학생들의 뺨을 때리고 얼굴을 사정 없이 때렸다. (이 학원의 고등학교는 지역사회 내에서 흔히 말하는 인서울을 많이 보내는 학교로 유명하다. 그 이유가 이러한 체벌이다. 학부모는 당연히 체벌의 유무를 알고 학교를 보내니 학교에서 학생이 맞고 오더라도 묵인하였다.)

당연히 재계약 말은 나오지 않았고 계약 만료로 나오게 되었다.

두 번째 사립학교

사립학교 같은 경우에 12월 쯤 되면 업무 분장을 한다. 공립학교보다 빠른 이유는 사립학교는 인사 이동이 없기 때문이다. 큰 재단 같은 경우에는 학교가 3~4개 정도 되어서 인사이동이 활발하기도 하다. 하지만 12월~1월쯤에 인사이동이 마무리된다.

공립학교 같은 경우에는 2월 초에 인사 이동이 있고 그 이후에 업무분장이 마무리된다. 2월 초 인사 이동이 발표되면 그때 공립학교 기간제교사 구인 공고도 나오게 된다. 사립학교는 인사 이동이 없으니 빠르면 12월 말 1월부터 기간제 교사 구인이 시작된다.

이게 엄청난 장점이 되는 게 1월부터 신입생 그리고 2,3학년 학생들에게 방과후 수업을 시킬 수 있다. 1학년에게는 방과후 수업을 시킬 수 있고, 2,3학년 학생들은 1월달에 이미 반 배치가 끝나고 담임 선생님까지 정해지기 때문에 입시나 상담 등 공립학교 선생님들보다 학생들을 빨리 파악할 수 있다.

다시 본론으로 돌아오면 12월쯤에는 계약연장이 될지, 되지 않을지가 확실시된다. 그 전에 눈치로 알고 있지만 공식적인 것은 12월쯤 알게 된다.

그때부터 고민을 다시 하기 시작하였다. '임용시험을 준비할 것인가, 다른 사립학교로 지원할 것인가.' 고민 끝에(공립학교 임용을 준비하는 지인들을 보니 이제는 도저히 내가 입문을 못 하겠다는 생각까지 들었다.) 일하고 있던 학교와 같은 지역에 있던 사립학교로 지원하게 되었다.

다시 또 사립학교로 지원한 이유는 여러 가지가 있다.

우선 임용시험에 대한 자신이 없었다. 항간에 돌아다니는 소문처럼 사립학교 기간제 교사로 계속 일하면서 학교 이사진의 픽(?)을 받아 임용티오가 나오고 1차만 합격하면 자연스럽게 최종합격되는 편이 확률적으로 더 높아보였다. (2차 시험은 수업시연 및 면접인데 학교 관계자들도 몇 명 들어와서 큰 실수만 하지 않으면 합격한다는 소문이 있다.)

그리고 내가 태어나고 어릴 때부터 커왔던 지역에서 떠나기 싫었다. 남들이 보면 '이게 이유가 돼? 당장 직장 잡는게 먼저지.'라고 말씀하시겠지만 나에게는 정말 큰 이유다. 가족들과의 유대 관계가 좋아서 그런지 가족(즉, 지역이다) 곁을 떠나기가 정말 싫었다. 정교사만 된다면 퇴직할 때까지 학교를 옮기지 않으니 내 가치관에 적합하였다.

내가 지원한 재단은 4개의 학교가 존재했다. 중학교 2개, 고등학교 2개. 미션학원(종교)이라는 것은 추후에 알게 되었고 이 학원에 지원하게 된 결정적인 이유는 재단 내에 학교가 많아서였다. '학교가 많으니 교사를 더 많이 채용하지 않을까?'하는 생각이 들었기 때문이다.

서류를 제출한 후, 필기시험을 보고 수업시연을 한 뒤 최종면접까지 하고 합격을 했다. 4개의 학교는 재단에 위탁하여 선생님들을 동시 채용하였고 그렇기 때문에 나는 4개의 학교 중 어느 학교로 가는지에 대한 정보는 없었다.

그러다 2월 초 쯤 내가 남자 고등학교로 가게 되는 것을 알게 되었다.

그리고 순차적으로 교장, 교감선생님과 만나게 되었고 내 업무가 정해졌다. 내 업무는 기숙사 사감 업무였다. 처음에는 여가 시간이 없어지기 때문에 너무 하기 싫었지만 군대를 버텼던 것처럼 2년만 버티자고 마음을 다잡았다. (사립학교의 기숙사라고 하면 성적순으로 입사한다. 그러니 이 학생들의 입시성적이 학교의 입시 성적을 좌지우지한다. 그러니 교장, 교감을 비롯하여 법인에서는 기숙사에 열과 성을 다하고 그 학생들을 관리하는 게 기숙사 사감이다.)

내가 사감업무를 고민했던 결정적인 이유는 내 시간이 없어지는 것이었다. 타지에서 근무하면서 힘이 들었던 나와 동생은 평일에 한번씩은 본가로 갔다. 1시간 정도 거리여서 퇴근 후에 가면 충분하였다. 그리고 금요일날 퇴근하고 가서 주말을 푹 쉬고 월요일에 출근을 했다.

하지만 사감을 하면 토요일 저녁 18시에 학생들을 내보내고 일요일 18시까지 복귀를 해야 했다. 평일에도 쉬는 날이 없이 17시에 정규수업을 마무리하고 두 시간의 방과후 수업을 진행했다. 19시~20시까지 저녁식사를 하고 20시에 기숙사 자습 감독을 시작했다. 23시까지의 자습 감독이 끝나야만 기숙사의 학생들 옆의 약 3평 남짓한 사감방에서 내 시간을 가질 수 있다.

내가 가지는 여가 시간은 24시간이었다.

일주일에.

나는 이러한 근무 형태는 너무 부당하다고 생각해서 교장, 교감 선생님께 말씀드렸고 상담 후 근무 시간을 조정하기로 했다. 사감 외에 부사감 선생님(일주일에 2번 사감지원)을 지원해주기로 하였다. 교감 선생님은 따로 나를 불러 기숙사 사감은 이사진에게 어필할 수 있는 좋은 업무라고 하였다. 1년만 하고 1년 뒤 다른 업무를 하면서 임용 티오 나오는 것만을 기다리기만 하면 된다고 하였다. 그 말을 믿고 마음을 다잡았다.

학기가 시작되었고 부사감 선생님과 나는 근무 일정을 짜기로 했고 근무 일정을 편성한 뒤 교장 선생님께 결재를 맡으러 갔다. 하지만 이전에 했던 말은 없는 말이 되었고 평일에 한번 기숙사에서 나가는 것은 허락해준다고 했다. 노발대발 하셨는데 아직도 왜 그러셨는지 모르겠다. 그나마 추측을 하자면 항상 조언이라고 말씀하셨던 자발적 희생을 하지 않아서 그런 것 같다. 기숙사에 자습실로 올라가는 계단 쪽에 벽화가 있었는데 몇 년 전 기간제 선생님이 자발적으로 그리셨다고 자랑스럽게 말씀하셨던 것을 보면 분명해 보인다. 나에게도 벽화가 많이 지워져서 시간 나면 벽화를 그려보라고 하셨다.

버텼다.

버티면 정교사 기회가 오는 줄 알고.

기숙사 사감 업무를 하게 되면 현업 근무라는 명칭으로 초과 근무를 한 시간만큼 수당을 받을 수 있다. 일반적인 선생님들 같은 경우에는 초과근무 최대 시간이 58시간이고 이후에는 초과근무수당이 인정되지 않는다. 하지만 기숙사 사감 업무는 업무의 특수성 때문에 초과근무시간은 근무시간만큼 인정받는다. 하지만 그것조차 허용되지 않았다.

그때의 교장선생님 말씀으로는,

"돈을 보고 교사를 하는 게 아니야. 이렇게 다 하다 보면 인정해주는 사람이 생기고 학교에서도 자네의 노력을 인정해줄 거야."

이해했다.

이해하고 헌신하는 태도를 보이면 정교사 기회가 오는 줄 알고.

기숙사 업무

기숙사에서의 나의 일정을 간단히 말해보겠다.

하계, 동계에 따라 미세하게 다르지만 일반적으로는 이렇다.

06:20 기상

06:30 학생 기상 노래 플레이 (학생들의 기상 노래를 학생 기상 10분 전에 일어나서 세팅해야 한다. 나와 같이 사감을 하였던 전문사감선생님께서 많은 도움을 주셨다.)

06:30~07:00 학생 운동시키기(학교 뒷산 오르기, 학교 옆길 산책하기 등 약 30분 정도 걸린다. 학생들이 아침에 너무 힘들어하여 한 번씩 체조를 시켰는데 그때 마침 교장선생님께서 오셔서 학생 100명이 있는 장소에서 나와 전문사감선생님에게 소리를 지르셨다. 당장 운동하고 오라고.)

06:50~08:10 학생 식사, 등교준비(혹시 아침잠이 부족하여 잠을 자는 학생들이 있기 때문에 30개 정도 되는 방을 돌며 학생 등교를 시켜야 했다. 학생 등교가 되지 않으면 담임 선생님께 연락이 온다.)

그리고 8시 10분 정도가 되면 나도 학교로 출근한다.

방과후 수업까지 진행하면 18시 50분에 끝나는데 바로 기숙사로 가야 한다. 기숙사 학생들이 급식실에 없으면 교장, 교감선생님께서 질타하셨다. '학생들이 밥을 잘 챙겨먹게 해줘야 된다'라는 이유라면 학생들을 위해 그럴 수 있다고 생각하겠는데, 질타하는 가장 큰 이유는 '급식이 남게 되어 아까워서'라고 하였다.

학생들을 확인하고 나도 바로 식사를 한다. 밥을 빠르게 먹고 내 방에 도착하면 19시 10분 정도 되는데, 그때 '배철수의 음악캠프'를 들으면서 누워있는 시간이 하루에서 가장 여유로운 시간이다.

19시 40분 정도부터 학생들을 자습실로 이동시키고 23시까지 나도 자습실에 앉아서 학생 면학 지도를 한다. 그리고 내려 가서 잠을 잤다.

이런 생활을 버티게 해주었던 주임사감 수석교사 선생님, 전담사감선생님(학교 교사는 아니고 외부에서 사감업무를 위해 채용한다. 나와 나이가 같아서 많은 이야기를 나누었다.)에게 감사하다.

이런 생활을 반복적으로 하다가 5월달에 학교 수학

여행, 수련회 시즌이 왔다. 내심 속으로는 기숙사 학생들이 다 빠져나가니 오랜만에 여가 생활을 즐길 수 있겠다고 생각했다. 하지만 교장선생님께서 기숙사 생활이 힘들었으니 제주도에서 바람 좀 쐬고 오라고 하셨다.

나중에 알고 보니 학생 안전문제 때문에 나를 보낸 것이었다. 많은 학생들이 이동하는데 지도하는 교사가 부족하다고 판단되어 나를 수학여행 인솔교사로 보낸 것이었다. 특히 한라산 등반에서의 안전문제가 가장 컸다고 들었다.

수학여행은 반별 코스가 모두 달랐기 때문에, 나는 2박 3일 동안 1일째에는 자전거 투어, 2일째, 3일째에는 한라산 백록담을 등반하였다. 그리고 그날 저녁 기숙사에 들어가 씻고 22시부터 02시까지 면학 지도를 하였다. 그날 새벽 정말 오랜만에 코피가 났다.

모두가 이런 희생을 강요하지도 않고 원하지도 않는다.

하지만 그 희생을 당연시하여 묵인한다.. 왜냐하면 그 희생을 못 버티면 이듬해에 나가게 되고 새로운 기간제 교사를 뽑으면 되기 때문이다.

열정이 넘치는 새로운 기간제 교사를.

건전지처럼 방전이 된 교사는 새 건전지로 갈아 끼우면 된다.

정교사 되고 싶은 기간제교사는 항상 넘치니까.

정교사라는 목표

나는 이 학교에서 2년 동안 일했다.

정교사라는 목표를 달성하기 위해.

첫 해에는 기숙사 사감업무를, 두 번째 해에는 담임과 교과교실기획 업무를 했다.

학교가 미션스쿨인 것을 인지하지 못하고 지원한 내 잘못이 너무 컸다. 24시간의 내 시간 동안 일요일에는 교회를 나오라고 하였다. 강요는 하지 않으셨다. 하지만 교회에 교장, 교감 선생님, 그리고 법인의 이사진들이 오니 자주 와서 얼굴 도장을 찍으면 정교사 되는 데에 훨씬 도움이 될 것이라고 조언을 해주셨다. 평소 교회를 다니지 않았던 나로서는 너무 힘들었고, 그 시간에 가족과 시간을 보내는 것이 아닌 학교에서 시간을 보낸다는 게 너무 힘들었다. 사립학교의 특성 상 공립학교에 비해 수직적인 조직구조와 내 상식과는 맞지 않는 일들이 빈번하게 나타났다. 사립학교에 있는 동안 있었던 부당한 일에 대해서 일일이 나열하지는 않겠다. 하지만 예비 선생님들에게 말씀드리는 것은 충분한 정보를 수집한 후 지원하라는 것이다.

하지만 그 정보라는 게 그 학교에서 일하고 있는 선생님들에게 듣는 것은 너무 편향적이다. 자신의 직장을 좋게 말하는 분은 그렇게 많이 보지 못하였다. 그렇다면 어떻게 정보를 수집하느냐, 그 학교가 하고 있는 업무를 보면 조금이나마 알 수 있다.

여기에서 말하는 업무라고 함은 그 학교가 운영하고 있는 사업들에 어떤 것이 있느냐이다. 그리고 학교 홈페이지에 있는 선생님들의 업무분장에 대해 잘 보고 지원하는 것을 추천한다.

나는 기획 업무, 담임 업무를 맡고도 사업을 3개나 운영하였다. 다른 도서 지방에 있는 학교나 규모가 작은 학교에서도 이 정도는 충분히 운영하신다. 하지만 공립학교에 비해 사립학교에서 사업을 운영하는 것은 너무 힘들었다. 업무의 자율성에 큰 제한이 있었기 때문이다.

내가 경험했던 업무 진행 방식을 말해보겠다.

첫 번째, 2월 말~3월 초에 사업을 배정받기 위하여 계획서를 작성하고 교장, 교감 선생님의 지도를 받는다. 여기에서 말하는 지도는 내용적인 측면보다 예산에 관련된 부분을 말하는 것이다.

두 번째, 3월 중순 즈음 사업을 배정받는다.

세 번째, 사업과 관련된 예산이 들어 오고 사업을 진행한다.

네 번째, 교장, 교감 선생님의 지시에 따라 예산이 움직인다. (예를 들어, 인구교육선도학교 사업을 가지고 왔는데 실제 쓰인 곳은 교과교실을 꾸미는 것에 쓰였다.)

사업을 운영하는 주체는 '나'지만 실질적으로는 교장, 교감선생님의 계획에 따라 움직이는 꼭두각시에 불과하다.

사업을 한 개정도만 운영하게 된다면 내실있게 운영하기 위해 교장, 교감선생님과의 상담을 한다고 이해하고 넘어갈 수 있을 것이다.

하지만 2개 이상을 운영하게 된다면, 그리고 운영할 때 사소한 것 하나하나 처음부터 끝까지 보고를 하고 승인을 받아야만 진행할 수 있다면, 그때도 이해할 수 있을까?

나는 이렇게 2년의 시간을 보내고 그만두었다.

사실은 계속 다닐 생각이었다. 나의 업무도 정해져

있던 상태였다. (화상수업 업무였다. 공동교육과정을 화상으로 수업하는 것이다.)

하지만 2년 동안 꾹꾹 참았던 내가 펑 하고 터져버린 일이 있었고 그 일로 정교사를 바라보고 교사 생활을 했던 4년의 시간이 끝났다.

그 일은 2월 겨울방학 때 일어났다.

사립학교의 특성 상 방학 때도 학생들을 학기 중처럼 관리해야 했다. 당시 2학년 담임을 맡고 있었고 방학 때도 학생들의 출석체크를 일일이 해야 했다. 이 말은 방학이 없고 반 학생들 관리라는 명목으로 출근을 해야 한다는 것이다. (사립학교이니 가능한 겨울방학 방과후 수업의 100% 참여화이다..)

방학 중 어느 날, 서울로 출장을 가게 되었고 출장을 간 나는 교장선생님의 전화를 받게 되었다. '학생이 왜 이렇게 조퇴를 많이 했냐, A 학생이 수업 중에 떠든다고 하는데 알고 있느냐'(지금 와서 생각해보면 떠들어서 다른 교사가 교장에게 말한 게 아니라 본인이 지나가다가 본 것을 이렇게 말한 것 같다.) 등 출장을 와서 부담임 선생님이 진행하고 계셨던 업무를 나에게 전화하여 화를 냈다.

이전부터 여러 생각으로('정교사가 막상 된다고 해도 이런 조직 생활을 이해할 수 있을까? 평생 교회를 다닐 수 있을까? 평생 일요일 날은 교회에 가서 교장, 교감에게 인사를 하고 이사장, 이사진들에게 눈도장을 찍어야 할까?' 이런 생각을 했던 이유는 40~50대 선생님들께서 본인이 교회에 가지 않아서 받았던 여러 불이익에 대해서 이야기해 주셨기 때문이다. 가장 많이 말씀해주셨던 선생님은 나와 함께 기숙사를 운영하셨던 수석교사 선생님이었다. 그 선생님은 내가 계약 만료로 나오는 시기에 명예퇴직을 하셨다. 정말 많은 이야기를 나누었던 선생님이다.) 계약 연장을 생각하지 않았던 나는 그날 출장을 마치고 학교로 내려가 교장 선생님에게 일을 그만둔다고 말하였다.

이후 학교에서 나를 좋게 봐주셨던 교감선생님, 교무부장, 교무부기획, 교과교실부장, 교목선생님 등 여러 선생님들께서 생각을 다시 해보라는 말씀을 해주면서 식사를 사주셨다.

2년 동안 한번도 사주시지 않았던 식사를 말이다.

정교사가 전부는 아니다

이렇게 나는 정교사라는 목표로 학교 다니는 것을 그만 두고, 인생을 어떻게 주도적으로 설계할 것인가에 대해 고민하게 되었다. 나는 인생을 주도적으로 설계하지 못한 것이 정교사가 아닌 계약직 신분이어서 그렇다고 생각하였다. 그래서 정규직이 되면 주도적인 삶을 살 것 같아 더 이상 계약직이 아닌 안정적인 직장을 찾기로 했다.

아쉬운 것은 전혀 없었고 설렘만 가득하였다.

막상 학교를 그만 두니 너무 좋았다.

월요일부터 금요일까지는 직장에서, 토요일, 일요일만 나로 보내던 시간이 월요일부터 일요일까지 일주일 내내 나의 시간으로 산다는 것이 너무 좋았다.

하지만 목표가 있어 그만 두었던 나는 공기업 준비를 하게 되었다. 2주 정도 즐거운 시간을 보내고 다시 새로운 시작을 준비하였다. 아침에 출근할 때처럼 일어나 준비하고 대학교 도서관으로 향하였다. NCS 기출문제집을 풀고, 공기업 채용공고를 보고, 지원서를 작성하는 게 하루 일과였다. 학생들의 생활기록부 작성과 자기소개서 피드백을 자주 해서 그럴까? 지원서 및 자기소개서를 작성하는 것은 너무나도 수월하게 하였다.

몇 개의 공기업에서 1차 합격 메시지가 오기 시작했다. 불과 2주 만의 이야기였다. 점점 나는 자신감에 차기 시작했고 준비를 하는 과정이 즐거웠다.

대학생 때 느꼈던 '내가 다른 사람보다 부족한 것이 아니라, 내가 준비를 안 한 것이었고 몰라서 안 한 것이었다. 하지만 알게 되면 나도 할 수 있다'는 감정을 다시 느낄 수 있었다.

2차는 NCS 시험이었고 2주 정도 밖에 준비하지 못한 불안감과는 달리 몇 개의 기업을 합격하였다.

3차는 면접심사였고 나는 한 공기업에 최종 합격하였다. 하지만 입사는 하지 않았다. 타지에서 근무해야 하기 때문에 내 인생관인 '내 고장에서 살기'에 부합하지 않기 때문이었다.

면접을 보러 갈 때부터 면접이 끝나고 나서까지 많은 생각을 했다. 사실 합격하면 현실에 순응해야 하기 때문에 입사할 것 같았다.

하지만 이상이 현실을 이겼다.

최종합격을 했는데 오히려 나의 고민은 더 커져 갔다.

'최종 입사를 하지 않으면 어떻게 내 인생을 설계해야 하지?'

먼저 내가 좋아하는 것을 생각해 보았다.

'무엇이 있지? 영화? 여행? 축구?'

'그렇다면 영화, 여행을 연계해서 할 수 있는 것엔 무엇이 있지?'

'영화 블로그를 만들어서 운영해보자! 영화 관련하여 칼럼도 쓰고 내가 여행 다닌 이야기도 써보는 거야.'

'그리고 나는 말하는 것을 좋아하니 지역 방송에 패널로 출연해보는 거야!'

막연한 상상만으로도 설렘이 가득했다.

학교에서 외부강사 초청을 하여 연수를 들었을 때 인상 깊었던 말이 있다.

직업 선택을 할 때 가장 베스트는 '흥미가 있는 데 재능까지 있는 것!'

예를 들어 축구를 좋아하는데 축구 재능까지 있는 것을 말한다. 이런 사람은 수동적으로 일을 하는 것이 아니라, 자발적, 주도적으로 일을 하기 때문에 일의 만족도가 높다고 한다.

그 다음은 '흥미는 있는데 재능은 없는 것!' 이 분야는 취미 생활에 적합하다고 하였다.

마지막은 '흥미는 없지만 그럭저럭 하는 것!'

강사의 마지막 질문은 이것이었다.

"지금 고등학생 친구들은 100세 시대라고들 합니다. 일반적으로 대학교를 졸업한 시점, 즉, 20대 중반에 일을 시작하고 70살~80살까지 일을 한다면 약 50년 이상 일을 하게 됩니다."

"이러한 시대에 여러분은 어떤 직업을 가지고 싶으십니까?"

"흥미는 없지만 그럭저럭하는 것? 일의 재미를 느끼지 못하지만 몇 년은 그럭저럭 일한다고 합시다."

"그래도 50년 이상을 일할 수 있을까요?"

"그렇다면 50년 이상 일할 수 있는 것은 어떤 것이죠? 흥미도 있고 재능까지 있는 것입니다."

"여러분들이 어떤 것에 흥미를 느끼는 지에 대해 진지하게 탐구하는 시간을 가졌으면 좋겠습니다."

나는 내가 순수하게 흥미를 느낄 수 있는 분야인 영화, 여행과 관련된 일을 하기로 최종 결정하였다.

먼저, 블로그를 운영하여 같은 관심사를 가진 사람들과 교류하고 소통할 수 있는 수단을 만들고자 했다. 블로거들이 하는 큰 시장은 두 개였다. 네이버 애드포스트, 티스토리의 구글애드센스. 네이버 블로그는 개설한 뒤 일정 기준이 충족되면 네이버에 승인 신청을 한다. 네이버의 승인 신청을 받는게 구글 애드센스보다 상대적으로 수월하지만 광고 수익이 적다. 티스토리는 승인 신청을 받는 게 극악이지만 승인을 받는다면 네이버 블로그보다 광고 수익이 아주 좋다고 한다.

나는 일주일 동안 밤낮을 가리지 않고 글을 썼다. 영화, 여행 말고도 내가 좋아하는 것이 축구인데 마침 새벽에 챔피언스리그 경기를 하였고 보면서 글을 쓰니 너무 행복했다.

네이버 블로그는 블로그 개설 후 30일이 지나야 한다는 승인 규정이 있어서 여유롭게 글을 썼다. 티스토리의 승인 규정은 정확하지 않다. 하지만 가장 알려진 사실은 사진보다 텍스트가 많아야 한다는 것이었다. 그래서 텍스트 위주로 글을 많이 썼다.

승인이 되면 구글에서 메일을 보내는데 그때를 잊을 수가 없다. 바르셀로나 호스텔에서 노트북으로 작업을 하고 있던 중 기사를 보게 되었다. 봉준호 감독이 '기생충'으로 칸영화제 황금종려상을 수상했다는 기사였다. 그래서 이 소식을 블로그에 쓰려고 로그인을 하였는데 구글 애드센스 승인 메일이 와 있었다.

신기하기도 하고 엄청난 성취감과 뭔가 이루어 나가고 있다는 사실이 뿌듯하였다.

여행에서 느낀 인생(부제: 주도적인 삶)

나는 4월에 혼자 2주 동안 동유럽(부다페스트, 빈, 프라하), 그리고 한달 뒤 30일 간의 서유럽(이탈리아, 스페인) 여행을 다녀왔다.

유럽 여행에서 얻은 가장 큰 가치는 '비교하지 않는 삶'이었다.

짧은 시간동안 관광객으로서 사람들을 만나고 지나쳐왔으니 나를 깊게 이해하거나 알지 못했을 것이다. 정말 형식적인 대화만 하니 당연히 비교하지 않게 되는 것 같았다. 대화가 안 되니 나를 어떻게 말하는지 신경을 쓸 필요가 없었고 알 수도 없었다. 나도 현지인들이나 한국 여행객들을 만날 때면 그 자체의 모습으로 대화를 나누었다.

한국에서는 입시, 입대, 취업, 결혼 등 큰 관문들이 있었고 조금만 어긋나면 다른 사람들에게 왜 내가 어긋나게 가는지에 대해 변명하기에 급급했다. 길을 걷다 보면 지나왔던 풍경이 좋아 멈춰서 사진을 찍기도 하고 되돌아보기도 하지만, 한국에서는 이러한 행동 하나하나를 설명을 해야 하고, 상대방이 이해를 하고 OK를 해야만 다시 걸을 수 있었다. 당연하게 여겨왔던 사실들이 짧은 유럽 여행을 통해 '왜 그래야 하지?'라는 의문으로 변하였다.

일을 그만둔 것 자체가 주도적인 인생을 살고 싶어서였다. 여행을 다녀오니 더욱 더 주도적인 인생을 살고 싶어졌다. 여행을 다녀와서 다시 지인들을 만나고 대화하면 대부분이 여행이야기와 앞으로 무슨 일을 할지에 대해 궁금해했다.

내가 가장 하고 싶은 게 무엇인지 다시 한번 생각을 해보았다. 그것은 영화였고, 누군가에게 하는 강의였다. 영화와 강의. 영화를 통해 강의를 하는 게 꽤 매력적으로 다가왔고, 자유롭게 일을 할 수 있을 것 같았다.

나의 스펙을 쌓고 전문성을 높이기 위해서는 시간이 필요했고, 준비 기간을 어떻게 보낼지 고민하던 중, 가장 잘할 수 있는 일이 '정교사 욕심이 없는 교사'였다. 그래서 다시 기간제 교사를 시작하였고, 다시 시작한 첫 학교에서 지금의 내 반쪽을 만나 결혼을 하였다.

지금도 주도적인 삶을 준비하기 위해 기간제교사로 재직 중이다.

끝내는 말

어느 날, 퇴근 후 저녁 식사 중 아내가 나에게 물었다.

“자기야, 오늘 학생 상담을 하는데, 애가 그러더라구. 의사도 되고 싶고, 공무원도 되고 싶고, 유튜버도 하고 싶대. 그런데 뭘 해야 될지 모르겠다고, 나한테 골라달라는 거야. 세 가지 직업이 결이 너무 달라서 순간 뭐라고 조언을 해야 할지 모르겠더라구. 자기라면 뭐라고 했을 것 같아?”

진로에 대해 한창 고민이 많은 십대들을 매일 같이 마주하는 교사로서, 자주 듣는 질문이다. 의사, 공무원, 유튜버……. 결이 너무 다른 직업들을 한번에 들고 와서 골라달라니, 난감하기도 하고, 비슷한 나이 때의 내 모습이 떠올라서 공감이 되기도 한다.

여러 진로를 고민하는 아이들을 만날 때마다, ‘나는 왜 교사를 선택하게 되었나’를 생각하게 된다. 안정성 하나만 바라보고 20대 절반을 바쳤다는 아내는 어느 날 이런 이야기를 했다.

“오늘 학교 선생님이랑 이야기를 하는데, 그 선생님

은 교사라는 직업 하나에만 매달려 있는 생활이 너무 지루하다는 거야. 경력도 10년 이상이고, 이제 웬만한 일에는 다 익숙해져서 그런지 새로움이 없대. 도전하고 앞으로 나아가는 느낌이 들어야 재미가 있는데, 교사라는 직업은 안정적이긴 하지만 그런 재미는 없다는 거지. 나는 이제 4-5년차인데, 너무 공감이 되더라. 확실히 오래 하는 직업이다 보니까 이 일을 잘 해나가는 것에만 목적을 두면 안 될 것 같아. 더 발전할 수 있는 다른 목표를 세워야 오래 일할 수 있을 것 같아."

직업 선택의 기준으로서 안정성은 좋은 가치이지만, 그 자체가 삶의 목표가 될 순 없다. 아내는 열심히 노력해서 안정적인 직업을 얻었지만, 계속해서 새로운 목표를 찾고 싶어 했다. 나도 교직 안에서는 얻을 수 없는 새로운 가치를 찾기 위해 교직 사회에서 나왔다.

직업 선택의 기준에는 여러 가지가 있다. 어떤 사람은 아내처럼 안정성을 최우선으로 두었을 수도 있고, 어떤 사람은 경제적인 측면을, 어떤 사람은 여가 시간을 가장 우선시하여 고려할 수도 있다. 아내와 나의 경험에 비추어 말하자면, 어떤 기준을 가지고 직업을 선택하든, 목적의식이 희미해지면 그 일을 꾸준히 이어나

가기 힘들다.

내가 아내였다면 직업을 골라달라던 그 학생에게 이렇게 말해줬을 것 같다.

“어떤 직업을 선택하느냐의 문제보다도, 직업을 가진 후에도 끊임없이 목표를 가지고 살아갈 수 있는 것이 중요해. 너는 어떤 삶을 살고 싶니?”